Classiques Larousse

Collection fondée par Félix Guirand, agrégé des lettres

Marivaux

La Double Inconstance

comédie

Édition présentée, annotée et commentée
par
ELSA MASSONNAUD-MOREIGNE
ancienne élève de l'E.N.S. de Fontenay
agrégée de lettres modernes

LAROUSSE

© Larousse 1990.
ISSN 0297-4479.
ISBN 2-03-871262-X.

Sommaire

Vivre, c'est écrire !

Un souci précoce

4 février 1688

Pierre Carlet de Chamblain de Marivaux naît à Paris, sous le règne de Louis XIV. Son père appartient à l'Administration des finances. Il fréquente la bonne société des villes de province : Riom, où il est nommé directeur de la Monnaie en 1704, puis Limoges.

1709

Marivaux écrit une comédie en un acte et en vers, *le Père prudent et équitable,* en réponse à un défi mondain sur la difficulté d'écrire pour le théâtre. La pièce comporte de nombreux emprunts. Elle sera publiée à Limoges, puis à Paris (en 1712) mais elle ne sera, semble-t-il, jamais représentée.

1712-1715

Installation à Paris et inscriptions renouvelées à la faculté de droit, sous le nom de Pierre Decarlet. Il n'obtiendra jamais le grade de bachelier.

En revanche, il travaille à un premier roman, *les Effets surprenants de la sympathie* (1713), et se fait des amitiés littéraires : Fontenelle et La Motte l'introduisent dans le salon de la marquise de Lambert, où Marivaux pratique avec brio l'art de la conversation. Quand renaît la « querelle des Anciens et des Modernes » (1714), il défend les idées nouvelles, écrit des parodies de romans sentimentaux, des œuvres burlesques (voir p. 173 et p. 174), dans la tradition préclassique. Il prône la peinture du réel et partage avec Fontenelle et La Motte, chef des « nouveaux précieux » (voir « préciosité », p. 174), le désir de lutter contre le purisme de la langue. Comme eux, il est pour la création de néologismes (voir p. 174) et souhaite un renouveau des genres littéraires : leurs goûts les portent vers la poésie galante, les contes de fées, la pastorale (voir p. 174) et l'opéra.

1715
Mort de Louis XIV et début de la régence de Philippe d'Orléans. Régime libéral, en réaction contre l'austérité des années précédentes.

Les débuts littéraires sérieux

1716
Plus de vingt ans après leur expulsion par Louis XIV (1697), les troupes italiennes s'installent de nouveau à Paris, sous le nom de nouveau Théâtre-Italien, dans la vieille salle de l'Hôtel de Bourgogne. Le chef de troupe est Luigi Riccoboni, dit Lélio ; le personnage d'Arlequin, joué par le comédien Thomassin, remporte un vif succès.

1717
Mariage de Marivaux avec Colombe Bollogne, dotée de 40 000 livres. En 1719, elle lui donnera une fille, Colombe-Prospère, et mourra en 1723.

1717-1720
Collaboration au *Nouveau Mercure,* le journal des Modernes qui relancent l'esprit précieux (voir p. 174) du XVIIe siècle, et donc la recherche des raffinements de langage et de sentiment. La Banque générale, créée par John Law en 1716, devient établissement d'État, le Tout-Paris spécule ; en juillet 1720, la banqueroute du financier ruinera partiellement Marivaux.
Les comédiens-italiens adoptent des statuts comparables à ceux de la Comédie-Française et abandonnent les vieux scénarios italiens pour des pièces françaises.

Octobre 1720
Les Italiens donnent douze représentations d'*Arlequin poli par*

La banqueroute de Law. Caricature de 1720. B.N., Paris.

l'amour ; le nom de Marivaux n'apparaît pas à l'affiche. La pièce, s'inscrivant dans la tradition du conte, met en scène le personnage de la Fée ; c'est un grand succès.

Décembre 1720

La tragédie *Annibal,* de Marivaux, donnée au Théâtre-Français, remporte un succès médiocre ; l'auteur signe désormais ses productions de son nom.

1721

Il commence la publication du *Spectateur français,* série de remarques sur le théâtre, qui paraîtra jusqu'en 1724.
Mort du peintre Watteau, dont on a souvent rapproché l'esthétique de celle de Marivaux.

1722

Succès remarquable de *la Surprise de l'amour* à l'Hôtel de

Bourgogne. Peut-être Marivaux a-t-il fait, à cette occasion, la connaissance de l'actrice Silvia, qui s'imposera dans les rôles de jeune première.

Sacre de Louis XV.

6 avril 1723

Création de *la Double Inconstance* par les comédiens-italiens (c'est la pièce favorite de Marivaux). Le compte rendu dans *le Nouveau Mercure* est très élogieux ; le marquis d'Argenson, critique littéraire de l'époque, note que les critères classiques ne sont plus adéquats à l'analyse des pièces de Marivaux.

Les « Italiens » reçoivent le titre de « Comédiens ordinaires du roi » ; le directeur de la troupe, son épouse et leur fils François obtiennent la citoyenneté française.

1724

Le Prince travesti est représenté, suivi de *la Fausse Suivante*. À la fin de l'année, les comédiens-français donnent, pour leur part, *le Dénouement imprévu,* pièce beaucoup plus conventionnelle et de moindre intérêt.

Les pièces à dimension sociale

1725

La première comédie à dimension nettement sociale, *l'Île des esclaves,* est créée au Théâtre-Italien. Cette île n'est pas un paradis, mais un lieu d'éducation où les valets convertissent les maîtres à la bonté et à la raison.

Suit *l'Héritier de village,* pièce très novatrice, violente et corrosive, révélant les ridicules de la société.

La Surprise de l'amour est jouée à trois reprises : deux fois aux Italiens, une fois à Fontainebleau.

1726

Le fils de Riccoboni débute dans le rôle de Lélio ; il reprendra tous les personnages de jeune premier, joués auparavant par son père. L'actrice Silvia, malade, abandonne quelque temps la scène de l'Hôtel de Bourgogne.

1727

Marivaux propose deux pièces aux comédiens-français, peut-être à cause de l'absence de Silvia, ou parce qu'il est déçu de l'échec de sa dernière création. En effet, *l'Île de la raison,* inspirée des *Voyages de Gulliver* de Jonathan Swift (1726), rend compte des hiérarchies humaines, mais n'est pas très réussie théâtralement et connaît un échec. *La Seconde Surprise de l'amour* est une version « à la française » de *la Surprise de l'amour*. Le sujet en est cependant différent : la position des valets a changé, la critique sociale est précise et virulente. L'accueil sera tiède, malgré la présence de la grande actrice Adrienne Lecouvreur, dans le rôle de la Marquise. Cependant, la pièce restera au répertoire du Théâtre-Français et s'imposera à partir de 1765.

1728

Le Triomphe de Plutus est créé chez les Italiens.

1729

Échec de *la Nouvelle Colonie ou la Ligue des femmes,* au Théâtre-Italien.

1730

Le Jeu de l'amour et du hasard est joué à la Comédie-Italienne, puis à la Cour. Il s'agit d'une des pièces les plus célèbres de Marivaux.

Ce dernier est accueilli dans le salon qu'ouvre Mme du Deffand, rue de Beaune.

La famille Riccoboni quitte la France pour Parme.

Le dramaturge vient au roman

1731

Début de la parution échelonnée du roman intitulé *la Vie de Marianne*. La onzième et dernière partie sortira en 1741.

La Réunion des amours est créée au Français. Le Théâtre-Italien accueille de nouveau la famille Riccoboni, mais le père, Luigi, refuse de jouer, et la troupe est éprouvée par la mort de deux acteurs, Pantalon et Violette.

1732

Création du *Triomphe de l'amour* aux Italiens, avec un vif succès. En revanche, *les Serments indiscrets,* présentés au Théâtre-Français, connaissent un échec cuisant : le public de ce théâtre goûte moins Marivaux ; les représentations sont sifflées et interrompues. La pièce, que l'auteur appréciait particulièrement, est sa seule comédie en cinq actes. Son échec donnera des armes à la violente critique lancée par Voltaire. Aucune représentation, à ce jour, n'a vraiment révélé la grandeur de cette pièce.

1733

Marivaux est « recueilli » dans le salon de Mme de Tencin. Elle le défendra contre ses détracteurs de plus en plus nombreux.

1734

Début de la parution du second grand roman de Marivaux, *le Paysan parvenu,* qui restera inachevé.
Marivaux se défend contre les attaques de ses ennemis dans les onze feuillets qui constituent *le Cabinet du philosophe.*

1735

Création aux Italiens de *la Mère confidente,* avec succès.

1736

La grande comédienne Mlle Clairon fait ses débuts dans une reprise de *l'Île des esclaves. Le Legs* est créé au Théâtre-Français ; cette pièce plaît immédiatement et sera l'une des plus jouées de Marivaux.
Les Italiens créent *les Fausses Confidences,* sans grand succès. La reprise, l'année suivante, sera mieux reçue.

Des éditions des romans de Marivaux commencent à paraître en Europe.

1739
Création des *Sincères,* pièce en un acte, au Théâtre-Italien. L'accueil est favorable.
Mort de l'acteur Vicentini, dit Thomassin, qui jouait les rôles d'Arlequin.

1740
Création d'une autre comédie en un acte, *l'Épreuve,* qui sera représentée de nombreuses fois. Ce sera la dernière pièce confiée par l'auteur aux comédiens-italiens : ensuite, ils reprendront les précédents succès. La troupe est vieillissante, la collaboration semble s'épuiser et Marivaux est au terme de sa grande période dramatique.

Les honneurs d'une carrière finissante

1742
Mme de Tencin fait campagne pour l'élection de Marivaux à l'Académie française, qui a fait paraître la troisième édition de son dictionnaire. L'écrivain sera élu le 10 décembre, contre Voltaire.

1743
Parution du dernier des ouvrages que Luigi Riccoboni a consacrés à la pratique du théâtre : *De la réformation théâtrale.*

1744
Marivaux s'installe rue Saint-Honoré, dans une partie d'un hôtel particulier qu'il partage avec Mlle de Saint-Jean : celle-ci sera sa compagne jusqu'à sa mort et son exécutrice testamentaire.
Marivaux lit à l'Académie ses textes de morale, *Réflexions sur les progrès de l'esprit humain.*

1745

La fille de Marivaux entre au noviciat de l'abbaye du Trésor
et prend le voile en 1746.

1746

François Riccoboni tente de faire connaître *la Serva Padrona
(la Servante maîtresse)* du compositeur italien Pergolèse, mais
sans succès. Le Théâtre-Italien s'oriente en effet de plus en
plus vers le ballet et les pièces chantées : il fusionnera avec
l'Opéra-Comique en 1762.

1749

Mme de Tencin meurt, ses fidèles fréquentent alors le salon
de Mme Geoffrin.

Acteurs de la Comédie-Italienne.
D'après Watteau. Musée de Moulins.

1752

Condamnation du premier volume de l'*Encyclopédie* de Denis Diderot (1713-1784) et Jean d'Alembert (1717-1783), publié un an plus tôt.
Une comédie de Casanova est jouée chez les Italiens ; l'actrice Flaminia prend sa retraite, Mme Favart reprend ses rôles.

1753

Van Loo peint le portrait de Marivaux.
Luigi Riccoboni meurt.

1755

Publication par *le Mercure* des *Réflexions sur Corneille et Racine,* de Marivaux.

1757

La gazette *le Conservateur* publie de façon anonyme une petite comédie de Marivaux, *les Acteurs de bonne foi.*

1758

Publication des *Œuvres de théâtre de Monsieur de Marivaux,* en cinq volumes.
Diderot publie *le Père de famille* et introduit ainsi une forme théâtrale nouvelle, vers laquelle tendaient, sans l'accomplir, les dernières œuvres de Marivaux : il s'agit du drame bourgeois (voir p. 173), dont Diderot sera aussi le théoricien.

1760

Crise de répertoire à l'Hôtel de Bourgogne : les Italiens font appel au dramaturge italien Carlo Goldoni (1707-1793). La représentation de sa pièce, *la Suivante reconnaissante,* sera un échec l'année suivante.

1763

Le 12 février, Marivaux meurt, ruiné, à Paris. En 1765, Mlle de Saint-Jean renoncera au legs universel qui lui était fait.

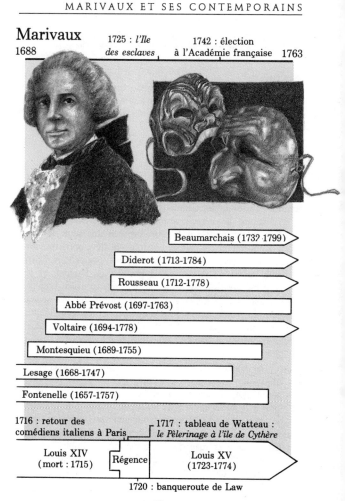

Marivaux
1688

1725 : *l'Île
des esclaves*

1742 : élection
à l'Académie française   1763

Beaumarchais (1732-1799)

Diderot (1713-1784)

Rousseau (1712-1778)

Abbé Prévost (1697-1763)

Voltaire (1694-1778)

Montesquieu (1689-1755)

Lesage (1668-1747)

Fontenelle (1657-1757)

1716 : retour des
comédiens italiens à Paris

1717 : tableau de Watteau :
le Pèlerinage à l'île de Cythère

Louis XIV
(mort : 1715)

Régence

Louis XV
(1723-1774)

1720 : banqueroute de Law

13

Une nouvelle comédie

Les formes traditionnelles du théâtre comique ont constitué les bases à partir desquelles Marivaux a offert au public une comédie radicalement novatrice et moderne.

Les modèles du genre

La « comoedia » latine

Le théâtre de l'Antiquité grecque, puis latine a fourni les premiers cadres esthétiques et thématiques du genre littéraire et de l'art de la représentation. La comédie latine est une variation sur le modèle grec : elle propose une série de rôles codés. L'argument, c'est-à-dire l'histoire, se développe toujours à partir des relations entre les vieillards *(seneces)* incarnant l'autorité paternelle et surtout le pouvoir de l'argent, et les jeunes gens *(adulescentes)* dont la vie est tournée vers les plaisirs, l'amour, la dépense. Dans le conflit qui les oppose toujours aux vieillards, ils sont aidés par les esclaves *(servi)* : toujours craintifs, parfois lâches, ceux-ci souhaitent cependant berner l'autorité et exercer leur ruse. À chaque rôle correspondent une gestuelle, un costume, un maquillage — le masque de théâtre disparaît à Rome —, un langage et un ton spécifiques.

Il s'agit pour le spectateur d'identifier immédiatement la catégorie à laquelle appartient un acteur. Celui-ci ne possède pas de traits individuels, mais seulement des caractéristiques génériques : barbes pour les vieillards, maquillage accentuant le regard fourbe et rusé des esclaves, etc. Le public connaît les thèmes, convenus et banals, stéréotypés : un jeune homme est amoureux d'une jeune fille pauvre, voire d'une esclave ; le père s'oppose à cet amour, qui ne peut s'épanouir que par l'entremise d'un serviteur intrigant et habile ; le mariage n'aura lieu que grâce à un coup de théâtre final, une scène de reconnaissance (voir p. 175) romanesque où la jeune personne se révèle être de condition libre et de bonne famille.

La dynamique de la pièce naît donc de l'opposition entre des rôles qui ne sont que les emblèmes de forces contradictoires en lutte les unes contre les autres. En effet, la notion latine de « persona » désigne initialement un masque, un type et non l'idée moderne du personnage, c'est-à-dire une créature nettement individualisée, voire unique.

La commedia dell'arte

Une autre forme théâtrale va être à l'origine de la comédie moderne et inspirera, quoique de manière différente, Molière et Marivaux : il s'agit de la commedia dell'arte. Nommée ainsi par le dramaturge italien Carlo Goldoni au XVIIIe siècle, elle désigne un genre qui s'est développé en Italie à partir du XVIe siècle sous le nom de représentation « improvisée » ou de comédie « à canevas ». Ce type de spectacle est né avec les premières troupes professionnelles (« dell'arte » signifie « de l'art, du métier »). Il repose sur un grand nombre de trames, d'intrigues ébauchées, de sujets donnés avec seulement quelques mots repères pour les acteurs. À partir de ces éléments, les comédiens inventent des dialogues, des jeux de mots et des plaisanteries en faisant appel à la participation du public. La liberté de jeu y est donc beaucoup plus grande que dans la *comoedia* latine.

La commedia dell'arte emprunte à la tradition médiévale du carnaval : on y retrouve la pantomime et la satire (voir p. 174). Les comédiens portent des masques de cuir qui ne couvrent pas la bouche. Ils sont reconnaissables dès leur entrée grâce à leur costume et à leur gestuelle. Sont également présents les valets ou « zanni » : Arlequin, Brighella, Scapin,

15

Sganarelle et Mascarille pour la tradition vénitienne ; Polichinelle à Naples. Ces derniers s'opposent aux vieillards (comme Pantalon, le plus célèbre). Les amoureux échappent aux caractéristiques codées : Lélio, Valerio ou, pour les jeunes filles, Isabella et Florinda, ne portent pas de masque ni de costume spécifique.

Ici encore, les relations de pouvoir sont au centre de l'intrigue et les obstacles à l'amour des jeunes gens sont à chercher dans un réseau de forces contradictoires et extérieures. Peu à peu, des caractéristiques individuelles se dégagent pourtant avec l'apparition de données psychologiques. Il existe plusieurs types de valets : Brighella, par exemple, est intéressé, parfois cynique ; Polichinelle est rêveur, naïf et incapable de garder un secret (d'où l'expression « le secret de Polichinelle »). Surtout, les acteurs se spécialisent dans un type de rôle et lui impriment des marques qui l'individualisent : leur personnalité et celle du personnage se recouvrent afin d'en faire un être unique, particulier.

Marivaux contre Molière ?

Les deux grands auteurs français de comédies vont, à un siècle d'écart, faire œuvre originale à partir de ces modèles.

Chez Molière, dans *les Fourberies de Scapin* par exemple, on retrouve le schéma traditionnel des comédies latines : des jeunes gens s'aiment, mais leur amour est contrarié par l'autorité de leurs pères. Pourtant, ce thème codé devient le prétexte à une peinture de caractères. De plus, l'auteur affine les obstacles extérieurs, qui deviennent ainsi les signes, les indices clairs d'une situation sociale, idéologique, voire éthique ou philosophique propre au XVIIe siècle.

Dès ses débuts, Marivaux affirmait ne pas aimer Molière. Avec Arlequin, il réinvente un valet de la commedia dell'arte et fait du thème de l'amour l'enjeu et le principe central de ses pièces. Mais il va modifier la nature des obstacles à l'amour. Ceux-ci étaient déjà le moteur de la dynamique des comédies, mais, d'extérieurs, ils deviennent intérieurs. C'est au cœur de chaque personnage que s'inscrivent l'opposition ou la résistance aux sentiments éprouvés, et le spectateur assiste à la transformation progressive de chacun, pris au piège de ses propres contradictions. De ce fait, pratiquement, tous les personnages du théâtre de Marivaux seront touchés par l'amour. Maîtres ou valets auront ce trait commun, alors que, dans la commedia dell'arte, l'amour ne concernait qu'une catégorie de personnages, présentés d'emblée comme « les amoureux ».

Bouffon
de la Comédie-Italienne.
Dessin de Watteau (1684-1721).
Musée d'Orléans.

Structure de la pièce

La situation initiale

Une jeune paysanne, Silvia, a été enlevée ; elle est retenue dans le palais du prince. Celui-ci est amoureux d'elle et souhaite l'épouser, alors qu'elle est éprise d'un jeune homme de son village, Arlequin (I, 1).

La mise en place des forces

Arlequin a accepté d'être conduit au palais : il veut revoir Silvia, qu'il aime. Le prince confie à l'un de ses officiers (Trivelin) et à une dame de la Cour (Flaminia) la mission de lui gagner sans violence le cœur de Silvia : il s'agit de la convaincre et d'éveiller en elle un amour authentique et sincère (I, 2).

La première stratégie

Flaminia tente de rompre l'amour de Silvia et d'Arlequin en éprouvant la fidélité de ce dernier : elle charge sa sœur, Lisette, de le séduire (I, 3). L'entreprise échoue. De son côté, Trivelin essaie de convaincre Arlequin pour qu'il renonce à Silvia en échange d'honneurs et de richesses ; il n'y parvient pas davantage (I, 4).

La seconde stratégie

Flaminia prend l'initiative d'un plan plus subtil : elle réunit le couple et offre son amitié et son aide. La compassion qu'elle semble éprouver pour Arlequin et Silvia lui permet de gagner leur sympathie et leur confiance (I, 11). En revanche, Trivelin la suspecte de trahir les intérêts du prince.

Les failles dans la défense

Silvia accueille l'amitié de Flaminia et lui fait ses confidences : malgré son amour pour Arlequin, elle a « éprouvé du trouble » pour un officier du palais, qui lui a rendu plusieurs fois visite dans son village. Elle ignore qu'il s'agissait en fait du prince, incognito (II, 1). Lorsqu'elle le revoit au palais, elle consent à se laisser aimer, tout en lui refusant tout espoir (II, 3).

Silvia est blessée de l'insolence des dames de la Cour qui doutent de ses charmes et de sa séduction pour plaire au prince. Flaminia alimente ce sentiment et flatte la coquetterie de Silvia en envoyant Lisette se moquer d'elle (II, 2).

Arlequin se prend aussi à l'amitié de Flaminia, il la voit menacée par Trivelin et veut la défendre (II, 6). Il lui accorde de plus en plus d'importance et il est piqué par la jalousie — feinte ou non ? — que Trivelin semble éprouver en les voyant en si bons termes (III, 2). S'il se moque d'un seigneur venu lui apporter des lettres de noblesse (III, 4), il goûte avec un plaisir croissant les charmes de la gourmandise, au point que Silvia commence à le trouver trop négligent et trop préoccupé de bien manger (II, 11).

Le renversement des alliances : un nouvel ordre amoureux

Flaminia vient faire ses adieux à Arlequin : elle lui annonce que le prince la punit de l'amitié qu'elle a pour lui en l'envoyant en exil ; lorsqu'elle lui révèle son amour, Arlequin s'aperçoit que c'est elle qu'il aime et non Silvia (III, 7).

De son côté, Silvia avoue qu'elle aime l'officier du palais et la délicatesse de sa cour (III, 8) : le prince n'a plus qu'à dévoiler son identité ; la comédie se termine par l'annonce des deux mariages et l'union des nouveaux couples (III, 9).

Silvia (Emmanuelle Béart) et Flaminia (Denise Chalem).
Mise en scène de Bernard Murat. Théâtre de l'Atelier, 1988.

Les principaux personnages

Les personnages de *la Double Inconstance* sont marqués par la tradition du Théâtre-Italien. Leurs rôles ont été écrits par Marivaux pour les acteurs de la troupe de Luigi Riccoboni. Voici les principaux comédiens et les rôles qu'ils tenaient du temps de Marivaux.

Rôles	Comédiens
Lélio (premier amoureux)	Luigi Riccoboni
Mario (deuxième amoureux)	Baletti
Arlequin	Vicentini, dit Thomassin, puis Bertinazzi (1741)
Trivelin	Pierre-François Biancolelli, dit Dominique
Flaminia (première amoureuse)	Elena Baletti (femme de Luigi Riccoboni)
Silvia (deuxième amoureuse)	Gianetta Benozzi (qui se maria avec Baletti, dit Mario)
La soubrette	Margarita Rusca (femme de Thomassin)

Arlequin et Silvia : les héritiers de la commedia dell'arte

Arlequin garde certaines caractéristiques du modèle de la commedia dell'arte (la gourmandise, la naïveté, la finesse) tout en acquérant une dimension moins codée et plus profonde. Le rôle de Silvia reprend ici les personnages de « première amoureuse » avec une grande richesse de ton.

Tous deux sont proches de la nature et de l'enfance : venus de leur village, leurs sentiments sont emprunts de l'idéal de la « bonne nature » propre au XVIIIe siècle (c'est-à-dire un monde pur et protégé des corruptions diverses de la société). Ils feront tous deux l'apprentissage des règles du jeu mondain et social à la cour du prince. Cette éducation et les découvertes qu'elle entraîne seront fatales à leur amour originel.

Ce ne sont pas des inconstants, des volages au sens péjoratif des termes, mais des êtres qui se débattent puis cèdent à la toute-puissance du sentiment ; leur inconstance est le signe du changement survenu en eux : ils ont grandi et n'aiment donc plus comme avant.

Le prince : un jeune premier

L'acteur qui interpréta ce rôle à la création était Luigi Riccoboni, spécialisé dans le personnage de Lélio, l'amoureux de la commedia dell'arte. Ainsi le prince a-t-il avant tout les caractéristiques du jeune premier amoureux : timidité, réserve, attendrissement parfois. Il est proche des nouveaux précieux (voir p. 174) du salon de Mme de Lambert.

La comédie a été écrite pendant la dernière année de la Régence, alors que le duc d'Orléans avait une conduite débauchée. Le souverain créé par Marivaux offre une image opposée des mœurs alors en usage à la Cour. C'est en effet un prince respectueux des règles et du droit : « La loi qui veut que j'épouse une de mes sujettes me défend d'user de violence contre qui que ce soit », dit-il (I, 2). Il renonce aux abus de pouvoir pour parvenir à ses fins. S'il se déguise en simple officier pour approcher Silvia, c'est pour ne devoir son amour qu'à lui-même, non à son titre.

Flaminia : l'intrigante ?

Flaminia est traditionnellement le nom de la « première amoureuse ». Dans *la Double Inconstance,* Flaminia fait plutôt office de « seconde amoureuse » ; elle est donc, en cette occasion, évincée par Silvia dans sa distribution habituelle.

Même si elle est séduite par Arlequin, elle apparaît d'abord comme une courtisane rusée et habile, inquiétante d'efficacité et de subtilité. Elle est même cynique dans les premières scènes. Il s'agit peut-être d'une déçue de l'amour qui va être de nouveau prise au piège de la séduction alors qu'elle n'œuvrait que pour servir les intérêts du prince. Sa sincérité peut être mise en doute, il s'agit en tout cas d'un personnage ambigu et d'une meneuse de jeu.

Trivelin et Lisette : des auxiliaires

Avec Trivelin, on retrouve le nom d'un valet de la commedia dell'arte, mais les Trivelin et Lisette de *la Double Inconstance* sont essentiellement des courtisans. Le spectateur ne s'intéresse pas ou peu à leurs sentiments. Ils sont, en effet, exclus de la partie qui se joue entre les amours d'hier et ceux de demain. Ils semblent être avant tout des auxiliaires du prince et de Flaminia dans la stratégie de conquête de Silvia. Mais ils auront très vite pour fonction primordiale de montrer une caricature de la Cour : Lisette est la coquette prise au piège des codes mondains, Trivelin est un officier du palais, intrigant, violent et retors ; ces personnages sont le support de la critique des apparences et du factice. L'amour triomphant va les évincer du plateau (de la scène) où seule la sincérité aura sa place : Lisette n'apparaît pas à l'acte III ; Trivelin, chassé par Arlequin à la scène 2 de l'acte III, est absent de toutes les scènes finales.

Portrait de Marivaux.
École française du XVIIIᵉ siècle.
Versailles.

MARIVAUX

La Double Inconstance

comédie
représentée pour la première fois
le 6 avril 1723
par les comédiens-italiens

Dédicace

À Madame la Marquise de Prie[1]

On ne verra point ici ce tas d'éloges dont les épîtres[2] dédicatoires sont ordinairement chargées ; à quoi servent-ils ? Le peu de cas que le public en fait devrait en corriger ceux qui les donnent et en dégoûter ceux qui les reçoivent. Je serais pourtant bien tenté de vous louer d'une chose, Madame, et c'est d'avoir véritablement craint que je ne vous louasse ; mais ce seul éloge que je vous donnerais, il est si distingué qu'il aurait ici tout l'air d'un présent de flatteur, surtout s'adressant à une dame de votre âge, à qui la nature n'a rien épargné de tout ce qui peut inviter l'amour-propre à n'être point modeste. J'en reviens donc, Madame, au seul motif que j'ai en vous offrant ce petit ouvrage ; c'est de vous remercier du plaisir que vous y avez pris, ou plutôt de la vanité que vous m'avez donnée, quand vous m'avez dit qu'il vous avait

---

1. Marivaux plaça très rarement des dédicaces en tête de ses œuvres : ici, la pièce (publiée en 1724) est offerte au patronage de la marquise de Prie, la maîtresse, depuis 1721, du duc de Bourbon, alors Premier ministre (il a été nommé à cette fonction en décembre 1723). Cela sert surtout à souligner l'ancrage contemporain du sujet et invite à mettre en parallèle la cour française et la cour du prince de *la Double Inconstance*.
2. Une épître est une lettre, en vers ou en prose.

plu. Vous dirai-je tout ? Je suis charmé d'apprendre à toutes les personnes de goût qu'il a votre suffrage ; en vous disant cela je vous proteste que je n'ai nul dessein de louer votre esprit ; c'est seulement vous avouer que je pense aux intérêts du mien. Je suis avec un profond respect,

MADAME,

Votre très humble et très obéissant serviteur,

D.M.

Personnages

Le prince.
Un seigneur.
Flaminia, *fille d'un domestique du prince.*
Lisette, *sœur de Flaminia.*
Silvia, *aimée du prince et d'Arlequin.*
Arlequin.
Trivelin, *officier du palais.*
Des laquais.
Des filles de chambre.

La scène est dans le palais du prince.

Acte premier

SCÈNE PREMIÈRE. SILVIA, TRIVELIN
et quelques femmes de la suite de Silvia.
Silvia paraît sortir comme fâchée.

TRIVELIN.   Mais, Madame, écoutez-moi.

SILVIA.   Vous m'ennuyez.

TRIVELIN.   Ne faut-il pas être raisonnable ?

SILVIA.   Non, il ne faut point l'être, et je ne le serai point.

5 TRIVELIN.   Cependant...

SILVIA.   Cependant, je ne veux point avoir de raison ;
et quand vous recommenceriez cinquante fois votre
« cependant », je n'en veux point avoir : que ferez-vous là ?

TRIVELIN.   Vous avez soupé hier si légèrement, que vous
10 serez malade si vous ne prenez rien ce matin.

SILVIA.   Et moi, je hais la santé, et je suis bien aise d'être
malade. Ainsi, vous n'avez qu'à renvoyer tout ce qu'on
apporte ; car je ne veux aujourd'hui ni déjeuner, ni dîner, ni
souper ; demain la même chose ; je ne veux qu'être fâchée,
15 vous haïr tous autant que vous êtes, jusqu'à tant que[1] j'aie
vu Arlequin, dont on m'a séparée. Voilà mes petites résolutions,
et si vous voulez que je devienne folle, vous n'avez qu'à me
prêcher d'être plus raisonnable, cela sera bientôt fait.

---

1. *Jusqu'à tant que :* jusqu'à ce que.

TRIVELIN. Ma foi, je ne m'y jouerai pas[1], je vois bien que
20 vous me tiendriez parole. Si j'osais cependant...

SILVIA, *plus en colère*. Eh bien ! ne voilà-t-il pas encore un
« cependant » ?

TRIVELIN. En vérité, je vous demande pardon, celui-là m'est
échappé[2], mais je n'en dirai plus, je me corrigerai ; je vous
25 prierai seulement de considérer...

SILVIA. Oh ! vous ne vous corrigez pas ; voilà des
considérations qui ne me conviennent point non plus.

TRIVELIN, *continuant*. ... que c'est votre souverain qui vous
aime.

30 SILVIA. Je ne l'empêche pas, il est le maître ; mais faut-il
que je l'aime, moi ? Non ; et il ne le faut pas, parce que je
ne le puis pas : cela va tout seul : un enfant le verrait, et
vous ne le voyez pas.

TRIVELIN. Songez que c'est sur vous qu'il fait tomber le
35 choix qu'il doit faire d'une épouse entre ses sujettes[3].

SILVIA. Qui est-ce qui lui a dit de me choisir ? M'a-t-il
demandé mon avis ? S'il m'avait dit : « Me voulez-vous,
Silvia ? », je lui aurais répondu : « Non, seigneur ; il faut
qu'une honnête femme aime son mari, et je ne pourrais pas
40 vous aimer. » Voilà la pure raison, cela ; mais point du tout,
il m'aime, crac, il m'enlève, sans me demander si je le
trouverai bon.

TRIVELIN. Il ne vous enlève que pour vous donner la main.

SILVIA. Eh ! que veut-il que je fasse de cette main, si je
45 n'ai pas envie d'avancer la mienne pour la prendre ? Force-
t-on les gens à recevoir des présents malgré eux ?

---

1. *Je ne m'y jouerai pas* : je ne m'y amuserai pas (je ne serai pas
assez fou pour cela).
2. *M'est échappé* : m'a échappé.
3. *Entre ses sujettes* : parmi ses sujettes.

TRIVELIN. Voyez, depuis deux jours que vous êtes ici, comment il vous traite : n'êtes-vous pas déjà servie comme si vous étiez sa femme ? Voyez les honneurs qu'il vous fait
50 rendre, le nombre de femmes qui sont à votre suite, les amusements qu'on tâche de vous procurer par ses ordres. Qu'est-ce qu'Arlequin au prix d'un prince plein d'égards, qui ne veut pas même se montrer qu'on ne vous ait disposée à le voir ? D'un prince jeune, aimable et rempli d'amour, car
55 vous le trouverez tel ? Eh ! Madame, ouvrez les yeux, voyez votre fortune, et profitez de ses faveurs.

SILVIA. Dites-moi, vous et toutes celles qui me parlent, vous a-t-on mis avec moi, vous a-t-on payés pour m'impatienter, pour me tenir des discours qui n'ont pas le sens commun,
60 qui me font pitié ?

TRIVELIN. Oh ! parbleu ! je n'en sais pas davantage ; voilà tout l'esprit que j'ai.

SILVIA. Sur ce pied-là[1], vous seriez tout aussi avancé de n'en point avoir du tout.

65 TRIVELIN. Mais encore, daignez, s'il vous plaît, me dire en quoi je me trompe.

SILVIA, *en se tournant vivement de son côté*. Oui, je vais vous le dire en quoi, oui...

TRIVELIN. Eh ! doucement, Madame, mon dessein n'est pas
70 de vous fâcher.

SILVIA. Vous êtes donc bien maladroit !

TRIVELIN. Je suis votre serviteur.

SILVIA. Eh bien ! mon serviteur, qui me vantez tant les honneurs que j'ai ici, qu'ai-je affaire de ces quatre ou cinq
75 fainéantes qui m'espionnent toujours ? On m'ôte mon amant, et on me rend des femmes à la place ; ne voilà-t-il pas un

---

1. *Sur ce pied-là* : à ce propos.

31

beau dédommagement ? Et on veut que je sois heureuse avec
cela ! Que m'importe toute cette musique, ces concerts et
cette danse dont on croit me régaler ? Arlequin chantait
80 mieux que tout cela, et j'aime mieux danser moi-même que
de voir danser les autres, entendez-vous ? Une bourgeoise
contente dans un petit village vaut mieux qu'une princesse
qui pleure dans un bel appartement. Si le prince est si tendre,
ce n'est pas ma faute ; je n'ai pas été le chercher ; pourquoi
85 m'a-t-il vue ? S'il est jeune et aimable, tant mieux pour lui ;
j'en suis bien aise. Qu'il garde tout cela pour ses pareils, et
qu'il me laisse mon pauvre Arlequin, qui n'est pas plus gros
monsieur que je suis grosse dame[1], pas plus riche que moi,
pas plus glorieux que moi, pas mieux logé ; qui m'aime sans
90 façon, que j'aime de même, et que je mourrai de chagrin de
ne pas voir ! Hélas ! le pauvre enfant, qu'en aura-t-on fait ?
Qu'est-il devenu ? Il se désespère quelque part, j'en suis
sûre ; car il a le cœur si bon ! Peut-être aussi qu'on le
maltraite... *(Elle se dérange de sa place.)* Je suis outrée ; tenez,
95 voulez-vous me faire un plaisir ? Ôtez-vous de là ; je ne puis
vous souffrir[2] ; laissez-moi m'affliger en repos.

TRIVELIN.   Le compliment est court, mais il est net ;
tranquillisez-vous pourtant, Madame.

SILVIA.   Sortez sans répondre, cela vaudra mieux.

100 TRIVELIN.   Encore une fois, calmez-vous. Vous voulez
Arlequin, il viendra incessamment ; on est allé le chercher.

SILVIA, *avec un soupir.*   Je le verrai donc ?

TRIVELIN.   Et vous lui parlerez aussi.

SILVIA.   Je vais l'attendre ; mais si vous me trompez, je ne
105 veux plus ni voir ni entendre personne.

*Pendant qu'elle sort, le prince et Flaminia entrent d'un autre côté et
la regardent sortir.*

---

1. *Gros monsieur ... grosse dame :* personnes riches, opulentes.
2. *Souffrir :* supporter.

SCÈNE 2. LE PRINCE, FLAMINIA, TRIVELIN.

LE PRINCE, *à Trivelin.* Eh bien ! as-tu quelque espérance à me donner ? Que dit-elle ?

TRIVELIN. Ce qu'elle dit, seigneur, ma foi, ce n'est pas la peine de le répéter ; il n'y a rien encore qui mérite votre
5 curiosité.

LE PRINCE. N'importe ; dis toujours.

TRIVELIN. Eh non, seigneur ; ce sont de petites bagatelles dont le récit vous ennuierait ; tendresse pour Arlequin, impatience de le rejoindre, nulle envie de vous connaître, désir
10 violent de ne vous point voir, et force haine[1] pour nous : voilà l'abrégé de ses dispositions. Vous voyez bien que cela n'est point réjouissant ; et franchement, si j'osais dire ma pensée, le meilleur serait de la remettre où on l'a prise.
Le prince rêve tristement.

FLAMINIA. J'ai déjà dit la même chose au prince ; mais
15 cela est inutile. Ainsi continuons, et ne songeons qu'à détruire l'amour de Silvia pour Arlequin.

TRIVELIN. Mon sentiment à moi est qu'il y a quelque chose d'extraordinaire dans cette fille-là ; refuser ce qu'elle refuse, cela n'est point naturel ; ce n'est point là une femme, voyez-
20 vous ; c'est quelque créature d'une espèce à nous inconnue ; avec une femme, nous irions notre train[2], celle-ci nous arrête ; cela nous avertit d'un prodige ; n'allons pas plus loin.

LE PRINCE. Et c'est ce prodige qui augmente encore l'amour que j'ai conçu pour elle.

25 FLAMINIA, *en riant.* Eh ! seigneur, ne l'écoutez pas avec son

---

1. *Force haine :* grande haine.
2. *Nous irions notre train :* les choses suivraient simplement, naturellement leur cours.

prodige, cela est bon dans un conte de fée ; je connais mon
sexe : il n'a rien de prodigieux que sa coquetterie. Du côté
de l'ambition, Silvia n'est point en prise[1] ; mais elle a un
cœur, et par conséquent de la vanité ; avec cela, je saurai
30 bien la ranger à son devoir de femme. Est-on allé chercher
Arlequin ?

TRIVELIN.   Oui, je l'attends.

LE PRINCE.   Je vous avoue, Flaminia, que nous risquons
beaucoup à lui montrer son amant[2] : sa tendresse pour lui
35 n'en deviendra que plus forte.

TRIVELIN.   Oui ; mais si elle ne le voit, l'esprit lui tournera,
j'en ai sa parole.

FLAMINIA.   Seigneur, je vous ai déjà dit qu'Arlequin nous
était nécessaire.

40 LE PRINCE.   Oui, qu'on l'arrête[3] autant qu'on pourra : vous
pouvez lui promettre que je le comblerai de biens et de
faveurs, s'il veut en épouser une autre que sa maîtresse[4].

TRIVELIN.   Il n'y a qu'à réduire[5] ce drôle-là, s'il ne veut pas.

LE PRINCE.   Non ; la loi, qui veut que j'épouse une de mes
45 sujettes, me défend d'user de violence contre qui que ce soit.

FLAMINIA.   Vous avez raison. Soyez tranquille, j'espère que
tout se fera à l'amiable ; Silvia vous connaît déjà, sans savoir
que vous êtes le prince, n'est-il pas vrai ?

LE PRINCE.   Je vous ai dit qu'un jour à la chasse, écarté de
50 ma troupe, je la rencontrai près de sa maison ; j'avais soif,

---

1. *Du côté ... en prise* : Silvia n'est pas sujette à l'ambition.
2. *Amant* : aux XVIIe et XVIIIe siècles, désigne celui qui aime et est
aimé d'une femme.
3. *Qu'on l'arrête* : qu'on le retienne avec adresse.
4. *Maîtresse* : aux XVIIe et XVIIIe siècles désigne, comme le nom
« amant », la personne aimée, sans signification sexuelle.
5. *Réduire* : réduire à l'impuissance, empêcher d'agir par la violence.

elle alla me chercher à boire : je fus enchanté de sa beauté
et de sa simplicité, et je lui en fis l'aveu. Je l'ai vue cinq ou
six fois de la même manière, comme simple officier du
palais ; mais, quoiqu'elle m'ait traité avec beaucoup de douceur,
55 je n'ai pu la faire renoncer à Arlequin, qui m'a surpris deux
fois avec elle.

FLAMINIA.   Il faut mettre à profit l'ignorance où elle est de
votre rang. On l'a déjà prévenue que vous ne la verriez pas
sitôt ; je me charge du reste, pourvu que vous vouliez bien
60 agir comme je voudrai.

LE PRINCE.   J'y consens. Si vous m'acquérez le cœur de
Silvia, il n'est rien que vous ne deviez attendre de ma
reconnaissance.

Il sort.

FLAMINIA.   Toi, Trivelin, va-t'en dire à ma sœur qu'elle tarde
65 trop à venir.

TRIVELIN.   Il n'est pas besoin, la voilà qui entre : adieu, je
vais au-devant d'Arlequin.

SCÈNE 3.   LISETTE, FLAMINIA.

LISETTE.   Je viens recevoir tes ordres : que me veux-tu ?

FLAMINIA.   Approche un peu, que je te regarde.

LISETTE.   Tiens, vois à ton aise.

FLAMINIA, *après l'avoir regardée.*   Oui-da[1], tu es jolie
5 aujourd'hui.

LISETTE, *en riant.*   Je le sais bien : mais qu'est-ce que cela te
fait ?

---

1. *Oui-da :* oui, certes (voir aussi p. 43, l. 106).

FLAMINIA.   Ôte cette mouche galante[1] que tu as là.

LISETTE, *refusant*.   Je ne saurais ; mon miroir me l'a
10 recommandée.

FLAMINIA.   Il le faut, te dis-je.

LISETTE, *en tirant sa boîte à miroir et ôtant la mouche*.   Quel
meurtre ! Pourquoi persécutes-tu ma mouche ?

FLAMINIA.   J'ai mes raisons pour cela. Or çà, Lisette, tu es
15 grande et bien faite.

LISETTE.   C'est le sentiment de bien des gens.

FLAMINIA.   Tu aimes à plaire ?

LISETTE.   C'est mon faible.

FLAMINIA.   Saurais-tu, avec une adresse naïve et modeste,
20 inspirer un tendre penchant à quelqu'un, en lui témoignant
d'en avoir pour lui, et le tout pour une bonne fin ?

LISETTE.   Mais j'en reviens à ma mouche : elle me paraît
nécessaire à l'expédition que tu me proposes.

FLAMINIA.   N'oublieras-tu jamais ta mouche ? Non, elle
25 n'est pas nécessaire : il s'agit d'un homme simple, d'un
villageois sans expérience, qui s'imagine que nous autres
femmes d'ici sommes obligées d'être aussi modestes que les
femmes de son village. Oh ! la modestie de ces femmes-là
n'est pas faite comme la nôtre ; nous avons des dispenses[2]
30 qui les scandaliseraient. Ainsi ne regrette plus ces mouches,
et mets-en la valeur dans tes manières ; c'est de ces manières
que je te parle ; je te demande si tu sauras les avoir comme
il faut ? Voyons, que lui diras-tu ?

LISETTE.   Mais, je lui dirai... Que lui dirais-tu, toi ?

35 FLAMINIA.   Écoute-moi, point d'air coquet d'abord. Par

---

1. *Mouche galante :* petit morceau de tissu noir, gros comme une
mouche, que les dames plaçaient sur leur visage ou leur décolleté
pour faire ressortir la blancheur de leur teint. La mouche dite
« galante » se plaçait au milieu de la joue.
2. *Dispenses :* permissions, libertés.

exemple, on voit dans ta petite contenance un dessein de plaire[1], oh ! il faut en effacer cela ; tu mets je ne sais quoi d'étourdi et de vif dans ton geste ; quelquefois c'est du nonchalant, du tendre, du mignard[2] ; tes yeux veulent être
40 fripons, veulent attendrir, veulent frapper, font mille singeries ; ta tête est légère ; ton menton porte au vent[3] ; tu cours après un air jeune, galant et dissipé. Parles-tu aux gens, leur réponds-tu, tu prends de certains tons, tu te sers d'un certain langage, et le tout finement relevé de saillies[4] folles.
45 Oh ! toutes ces petites impertinences-là sont très jolies dans une fille du monde ; il est décidé que ce sont des grâces ; le cœur des hommes s'est tourné comme cela, voilà qui est fini. Mais ici il faut, s'il te plaît, faire main basse sur[5] tous ces agréments-là : le petit homme en question ne les approuverait
50 point ; il n'a pas le goût si fort, lui. Tiens, c'est tout comme qui[6] n'aurait jamais bu que de belles eaux bien claires, le vin ou l'eau-de-vie ne lui plairaient pas.

LISETTE, *étonnée.* Mais, de la façon dont tu arranges mes agréments, je ne les trouve pas si jolis que tu dis.

55 FLAMINIA, *d'un air naïf.* Bon ! c'est que je les examine, moi : voilà pourquoi ils deviennent ridicules ; mais tu es en sûreté de la part des hommes.

LISETTE. Que mettrai-je donc à la place de ces impertinences que j'ai ?

60 FLAMINIA. Rien ; tu laisseras aller tes regards comme ils iraient si ta coquetterie les laissait en repos ; ta tête comme elle se tiendrait, si tu ne songeais pas à lui donner des airs

---

1. *Un dessein de plaire :* le désir, le projet de plaire.
2. *Mignard :* air délicat et affecté (adjectif substantivé).
3. *Ton ... vent :* tu prends un air dédaigneux, une attitude fière.
4. *Saillies :* boutades, mots d'esprit.
5. *Faire main basse sur :* supprimer.
6. *C'est tout comme qui... :* il est pareil à quelqu'un qui...

évaporés ; et ta contenance tout comme elle est quand
personne ne te regarde. Pour essayer, donne-moi quelque
65 échantillon de ton savoir-faire, regarde-moi d'un air ingénu.

LISETTE, *se tournant.* Tiens, ce regard-là est-il bon ?

FLAMINIA. Hum ! il a encore besoin de quelque correction.

LISETTE. Oh ! dame ! veux-tu que je te dise ? Tu n'es
qu'une femme ; est-ce que cela anime ? Laissons cela ; car
70 tu m'emporterais la fleur de mon rôle. C'est pour Arlequin,
n'est-ce pas ?

FLAMINIA. Pour lui-même.

LISETTE. Mais, le pauvre garçon ! si je ne l'aime pas, je le
tromperai ; je suis fille d'honneur, et je m'en fais un scrupule.

75 FLAMINIA. S'il vient à t'aimer, tu l'épouseras et cela fera
ta fortune ; as-tu encore des scrupules ? Tu n'es, non plus
que moi, que[1] la fille d'un domestique du prince, et tu
deviendras grande dame.

LISETTE. Oh ! voilà ma conscience en repos ; et en ce cas-
80 là, si je l'épouse, il n'est pas nécessaire que je l'aime. Adieu,
tu n'as qu'à m'avertir quand il sera temps de commencer.

FLAMINIA. Je me retire aussi, car voilà Arlequin qu'on
amène.

SCÈNE 4. ARLEQUIN, TRIVELIN.
Arlequin regarde Trivelin et tout l'appartement avec étonnement.

TRIVELIN. Eh bien ! seigneur Arlequin, comment vous
trouvez-vous ici ? *(Arlequin ne dit mot.)* N'est-il pas vrai que
voilà une belle maison ?

---

1. *Tu n'es, non plus que moi, que...* : comme moi, tu n'es que...

Arlequin (Richard Fontana). Mise en scène de Jacques Rosner,
assisté de Claude Risac. Bouffes du Nord, 1976.

ARLEQUIN.   Que diantre ! qu'est-ce que cette maison-là et
5 moi avons affaire ensemble ? Qu'est-ce que c'est que vous ?
Que me voulez-vous ? Où allons-nous ?
TRIVELIN.   Je suis un honnête homme, à présent votre
domestique ; je ne veux que vous servir ; et nous n'allons
pas plus loin.
10 ARLEQUIN.   Honnête homme ou fripon, je n'ai que faire de
vous, je vous donne votre congé, et je m'en retourne.
TRIVELIN, *l'arrêtant*.   Doucement !
ARLEQUIN.   Parlez donc ; hé, vous êtes bien impertinent
d'arrêter votre maître !
15 TRIVELIN.   C'est un plus grand maître que vous qui vous a
fait le mien.
ARLEQUIN.   Qui est donc cet original-là, qui me donne des
valets malgré moi ?

TRIVELIN.   Quand vous le connaîtrez, vous parlerez
20 autrement. Expliquons-nous à présent.

ARLEQUIN.   Est-ce que nous avons quelque chose à nous
dire ?

TRIVELIN.   Oui, sur Silvia.

ARLEQUIN, *charmé et vivement.*   Ah ! Silvia ! hélas ! je vous
25 demande pardon ; voyez ce que c'est, je ne savais pas que
j'avais à vous parler.

TRIVELIN.   Vous l'avez perdue depuis deux jours ?

ARLEQUIN.   Oui : des voleurs me l'ont dérobée.

TRIVELIN.   Ce ne sont pas des voleurs.

30 ARLEQUIN.   Enfin, si ce ne sont pas des voleurs, ce sont
toujours des fripons.

TRIVELIN.   Je sais où elle est.

ARLEQUIN, *charmé et caressant.*   Vous savez où elle est, mon
ami, mon valet, mon maître, mon tout ce qu'il vous plaira ?
35 Que je suis fâché de n'être pas riche, je vous donnerais tous
mes revenus pour gages. Dites, l'honnête homme, de quel
côté faut-il tourner ? Est-ce à droite, à gauche, ou tout devant
moi ?

TRIVELIN.   Vous la verrez ici.

40 ARLEQUIN, *charmé et d'un air doux.*   Mais quand j'y songe, il
faut que vous soyez bien bon, bien obligeant pour m'amener
ici comme vous faites ! Ô Silvia, chère enfant de mon âme,
m'amie[1], je pleure de joie !

TRIVELIN, *à part les premiers mots.*   De la façon dont ce
45 drôle-là prélude[2], il ne nous promet rien de bon. Écoutez, j'ai
bien autre chose à vous dire.

---

1. *M'amie :* mon amie. Voir aussi p. 59, l. 8 : « m'amour » pour « mon
amour ».
2. *Prélude :* commence.

ARLEQUIN, *le pressant*.   Allons d'abord voir Silvia ; prenez pitié de mon impatience.

TRIVELIN.   Je vous dis que vous la verrez ; mais il faut que
50 je vous entretienne auparavant. Vous souvenez-vous d'un certain cavalier qui a rendu cinq ou six visites à Silvia, et que vous avez vu avec elle ?

ARLEQUIN, *triste*.   Oui ; il avait la mine d'un hypocrite.

TRIVELIN.   Cet homme-là a trouvé votre maîtresse fort
55 aimable.

ARLEQUIN.   Pardi ! il n'a rien trouvé de nouveau.

TRIVELIN.   Et il en a fait au prince un récit qui l'a enchanté.

ARLEQUIN.   Le babillard[1] !

TRIVELIN.   Le prince a voulu la voir, et a donné ordre qu'on
60 l'amenât ici.

ARLEQUIN.   Mais il me la rendra, comme cela est juste ?

TRIVELIN.   Hum ! il y a une petite difficulté ; il en est devenu amoureux et souhaiterait d'en être aimé à son tour.

ARLEQUIN.   Son tour ne peut pas venir ; c'est moi qu'elle
65 aime.

TRIVELIN.   Vous n'allez point au fait ; écoutez jusqu'au bout.

ARLEQUIN, *haussant le ton*.   Mais le voilà, le bout ; est-ce que l'on veut me chicaner[2] mon bon droit ?

70 TRIVELIN.   Vous savez que le prince doit se choisir une femme dans ses États.

ARLEQUIN.   Je ne sais point cela ; cela m'est inutile.

TRIVELIN.   Je vous l'apprends.

ARLEQUIN, *brusquement*.   Je ne me soucie pas de nouvelles[3].

---

1. *Le babillard :* le bavard.
2. *Chicaner :* contester (terme de droit).
3. *Je ne me soucie pas de nouvelles :* je ne vous demande rien.

75 TRIVELIN. Silvia plaît donc au prince, et il voudrait lui plaire avant que de[1] l'épouser. L'amour qu'elle a pour vous fait obstacle à celui qu'il tâche de lui donner pour lui.

ARLEQUIN. Qu'il fasse donc l'amour[2] ailleurs : car il n'aurait que la femme, moi j'aurais le cœur ; il nous manquerait
80 quelque chose à l'un et à l'autre, et nous serions tous trois mal à notre aise.

TRIVELIN. Vous avez raison ; mais ne voyez-vous pas que si vous épousiez Silvia, le prince resterait malheureux ?

ARLEQUIN, *après avoir rêvé*. À la vérité il serait d'abord un
85 peu triste ; mais il aura fait le devoir d'un brave homme, et cela console. Au lieu que[3], s'il l'épouse, il fera pleurer ce pauvre enfant[4] ; je pleurerai aussi, moi ; il n'y aura que lui qui rira, et il n'y a point de plaisir à rire tout seul.

TRIVELIN. Seigneur Arlequin, croyez-moi ; faites quelque
90 chose pour votre maître ; il ne peut se résoudre à quitter Silvia. Je vous dirai même qu'on lui a prédit l'aventure qui la lui a fait connaître, et qu'elle doit être sa femme ; il faut que cela arrive ; cela est écrit là-haut.

ARLEQUIN. Là-haut on n'écrit pas de telles impertinences ;
95 pour marque de[5] cela, si on avait prédit que je dois vous assommer, vous tuer par derrière, trouveriez-vous bon que j'accomplisse la prédiction ?

TRIVELIN. Non, vraiment ! il ne faut jamais faire de mal à personne.

100 ARLEQUIN. Eh bien ! c'est ma mort qu'on a prédite ; ainsi

---

1. *Avant que de* : avant de.
2. *Qu'il fasse donc l'amour* : qu'il fasse donc sa cour.
3. *Au lieu que* : alors que.
4. *Ce pauvre enfant* : le mot « enfant » reste souvent masculin au XVIIIᵉ siècle, même pour désigner une fille.
5. *Pour marque de* : pour preuve de.

c'est prédire rien qui vaille, et dans tout cela, il n'y a que l'astrologue à pendre.

TRIVELIN.   Eh ! morbleu, on ne prétend pas vous faire du mal ; nous avons ici d'aimables filles ; épousez-en une, vous
105 y trouverez votre avantage.

ARLEQUIN.   Oui-da ! que je me marie à une autre, afin de mettre Silvia en colère et qu'elle porte son amitié ailleurs ! Oh, oh ! mon mignon, combien vous a-t-on donné pour m'attraper ? Allez, mon fils, vous n'êtes qu'un butor[1], gardez
110 vos filles, nous ne nous accommoderons pas ; vous êtes trop cher.

TRIVELIN.   Savez-vous bien que le mariage que je vous propose vous acquerra l'amitié du prince ?

ARLEQUIN.   Bon ! mon ami ne serait pas seulement mon
115 camarade.

TRIVELIN.   Mais les richesses que vous promet cette amitié...

ARLEQUIN.   On n'a que faire de toutes ces babioles-là, quand on se porte bien, qu'on a bon appétit et de quoi vivre.

TRIVELIN.   Vous ignorez le prix de ce que vous refusez.

120 ARLEQUIN, *d'un air négligent*.   C'est à cause de cela que je n'y perds rien.

TRIVELIN.   Maison à la ville, maison à la campagne.

ARLEQUIN.   Ah ! que cela est beau ! il n'y a qu'une chose qui m'embarrasse ; qui est-ce qui habitera ma maison de ville,
125 quand je serai à ma maison de campagne ?

TRIVELIN.   Parbleu ! vos valets.

ARLEQUIN.   Mes valets ? Qu'ai-je besoin de faire fortune pour ces canailles-là ? Je ne pourrai donc pas les habiter toutes à la fois ?

---

1. *Butor* : rustre, grossier personnage.

130 TRIVELIN, *riant*. Non, que je pense ; vous ne serez pas en deux endroits en même temps.

ARLEQUIN. Eh bien ! innocent que vous êtes, si je n'ai pas ce secret-là, il est inutile d'avoir deux maisons.

TRIVELIN. Quand il vous plaira, vous irez de l'une à l'autre.

135 ARLEQUIN. À ce compte, je donnerai donc ma maîtresse pour avoir le plaisir de déménager souvent ?

TRIVELIN. Mais rien ne vous touche ; vous êtes bien étrange ! Cependant tout le monde est charmé d'avoir de grands appartements, nombre de[1] domestiques...

140 ARLEQUIN. Il ne me faut qu'une chambre ; je n'aime point à nourrir des fainéants, et je ne trouverai point de valet plus fidèle, plus affectionné à mon service que moi.

TRIVELIN. Je conviens que vous ne serez point en danger de mettre ce domestique-là dehors ; mais ne seriez-vous pas

145 sensible au plaisir d'avoir un bon équipage, un bon carrosse, sans parler de l'agrément d'être meublé superbement ?

ARLEQUIN. Vous êtes un grand nigaud, mon ami, de faire entrer Silvia en comparaison avec des meubles, un carrosse et des chevaux qui le traînent ! Dites-moi, fait-on autre chose

150 dans sa maison que s'asseoir, prendre ses repas et se coucher ? Eh bien ! avec un bon lit, une bonne table, une douzaine de chaises de paille, ne suis-je pas bien meublé ? N'ai-je pas toutes mes commodités ? Oh ! mais je n'ai point de carrosse ! Eh bien, je ne verserai point[2]. *(En montrant ses*

155 *jambes.)* Ne voilà-t-il pas un équipage que ma mère m'a donné ? n'est-ce pas de bonnes jambes ? Eh ! morbleu, il n'y a pas de raison à vous d'avoir une autre voiture que la mienne. Alerte, alerte, paresseux ; laissez vos chevaux à tant

---

1. *Nombre de :* beaucoup de.
2. *Je ne verserai point :* mon carrosse ne se renversera pas, je n'aurai pas d'accident.

d'honnêtes laboureurs, qui n'en ont point ; cela nous fera du
160 pain ; vous marcherez, et vous n'aurez pas les gouttes[1].

TRIVELIN.   Têtubleu[2], vous êtes vif ! Si l'on vous en croyait,
on ne pourrait fournir les hommes de souliers.

ARLEQUIN, *brusquement*.   Ils porteraient des sabots. Mais je
commence à m'ennuyer de tous vos contes ; vous m'avez
165 promis de me montrer Silvia ; un honnête homme n'a que sa
parole.

TRIVELIN.   Un moment ; vous ne vous souciez ni d'honneurs,
ni de belles maisons, ni de magnificence, ni de crédit, ni
d'équipages...

170 ARLEQUIN.   Il n'y a pas là pour un sol[3] de bonne marchandise.

TRIVELIN.   La bonne chère[4] vous tenterait-elle ? Une cave
remplie de vin exquis vous plairait-elle ? Seriez-vous bien aise
d'avoir un cuisinier qui vous apprêtât délicatement à manger,
et en abondance ? Imaginez-vous ce qu'il y a de meilleur, de
175 plus friand[5] en viande et en poisson ; vous l'aurez, et pour
toute votre vie... *(Arlequin est quelque temps à répondre.)* Vous
ne répondez rien ?

ARLEQUIN.   Ce que vous me dites là serait plus de mon
goût que tout le reste ; car je suis gourmand, je l'avoue ;
180 mais j'ai encore plus d'amour que de gourmandise.

TRIVELIN.   Allons, seigneur Arlequin, faites-vous un sort
heureux ; il ne s'agit seulement que de quitter une fille pour
en prendre une autre.

ARLEQUIN.   Non, non, je m'en tiens au bœuf et au vin de
185 mon cru.

---

1. *Les gouttes* : ou « la goutte », maladie des articulations.
2. *Têtubleu* : forme atténuée de « tête de Dieu » (juron).
3. *Pour un sol* : pour un sou.
4. *La bonne chère* : la bonne nourriture.
5. *De plus friand* : de meilleur (voir le nom « friandise »).

TRIVELIN.   Que vous auriez bu de bon vin ! Que vous auriez mangé de bons morceaux !

ARLEQUIN.   J'en suis fâché, mais il n'y a rien à faire. Le cœur de Silvia est un morceau encore plus friand que tout
190 cela. Voulez-vous me la montrer, ou ne le voulez-vous pas ?

TRIVELIN.   Vous l'entretiendrez[1], soyez-en sûr ; mais il est encore un peu matin[2].

Arlequin. Peinture de Watteau (1684-1721).
Château de Versailles.

---

1. *Vous l'entretiendrez* : vous lui parlerez (voir le nom « entretien », l'expression « avoir un entretien »).
2. *Un peu matin* : un peu tôt.

Acte I Scène 4

UNE SCÈNE DE DÉBAT

Pour le metteur en scène Louis Jouvet (1887-1951), la première entrée du personnage d'Arlequin a pour caractéristique principale d'avoir lieu dans une « scène de discussion ».

« C'est un échange de répliques, avec une vivacité qui n'est pas de la précipitation... [Il faut donner] dès la première réplique un ton logique qui amène une discussion [...], un ton de raisonnement [...] qui sollicite la réponse de l'autre. » (*Molière et la comédie classique,* Gallimard, 1965.)

1. Montrez comment Trivelin retient Arlequin sur la scène en l'obligeant à une conversation. Quelles sont les résistances de ce dernier ?

2. Par quels arguments l'officier du palais tente-t-il de convaincre Arlequin ? À votre avis, pourquoi ces arguments sont-ils si nombreux ?

3. Trivelin affiche un ton de supériorité vis-à-vis d'Arlequin qui est censé être un naïf paysan. Réussit-il cependant à affirmer son autorité ? Montrez l'habileté avec laquelle ce dernier raisonne.

LE PERSONNAGE D'ARLEQUIN

Marivaux reprend un rôle codé de la commedia dell'arte, en conservant certaines de ses caractéristiques.

4. Lors de cette première apparition, qu'apprenons-nous du personnage d'Arlequin ? Précisez, à partir de détails relevés dans le texte, quelle est son attitude physique sur le plateau ; notez les traits de langage qui marquent son origine et son rang social.

5. Quel est le défaut majeur d'Arlequin, qui entraîne ici son unique moment de faiblesse face à Trivelin ?

SCÈNE 5.   ARLEQUIN, LISETTE, TRIVELIN.

LISETTE, *à Trivelin*. Je vous cherche partout, Monsieur Trivelin ; le prince vous demande.

TRIVELIN.   Le prince me demande ? j'y cours ; mais tenez donc compagnie au seigneur Arlequin pendant mon absence.

5 ARLEQUIN.   Oh ! ce n'est pas la peine ; quand je suis seul, moi, je me fais compagnie.

TRIVELIN.   Non, non ; vous pourriez vous ennuyer. Adieu ; je vous rejoindrai bientôt.

Trivelin sort.

SCÈNE 6.   ARLEQUIN, LISETTE.

ARLEQUIN, *se retirant au coin du théâtre*. Je gage que voilà une éveillée[1] qui vient pour m'affriander[2] d'elle. Néant[3] !

LISETTE, *doucement*. C'est donc vous, Monsieur, qui êtes l'amant de Mademoiselle Silvia ?

5 ARLEQUIN, *froidement*. Oui.

LISETTE. C'est une très jolie fille.

ARLEQUIN, *du même ton*. Oui.

LISETTE. Tout le monde l'aime.

ARLEQUIN, *brusquement*. Tout le monde a tort.

10 LISETTE. Pourquoi cela, puisqu'elle le mérite ?

ARLEQUIN, *brusquement*. C'est qu'elle n'aimera personne que moi.

---

1. *Une éveillée :* une coquette.
2. *Pour m'affriander :* pour me donner faim.
3. *Néant :* pas question.

LISETTE.   Je n'en doute pas, et je lui pardonne son attachement pour vous.

15 ARLEQUIN.   À quoi cela sert-il, ce pardon-là ?

LISETTE.   Je veux dire que je ne suis plus si surprise que je l'étais de son obstination à vous aimer.

ARLEQUIN.   Et en vertu de quoi étiez-vous surprise ?

LISETTE.   C'est qu'elle refuse un prince aimable[1].

20 ARLEQUIN.   Et quand il serait aimable, cela empêche-t-il que je ne le sois aussi, moi ?

LISETTE, *d'un air doux*.   Non, mais enfin c'est un prince.

ARLEQUIN.   Qu'importe ? en fait de fille, ce prince n'est pas plus avancé que moi.

25 LISETTE, *doucement*.   À la bonne heure. J'entends seulement qu'il a des sujets et des États, et que, tout aimable que vous êtes, vous n'en avez point.

ARLEQUIN.   Vous me la baillez belle avec vos sujets et vos États[2] ! Si je n'ai point de sujets, je n'ai charge de personne ;
30 et si tout va bien, je m'en réjouis ; si tout va mal, ce n'est pas ma faute. Pour des États, qu'on en ait ou qu'on n'en ait point, on n'en tient pas plus de place, et cela ne rend ni plus beau, ni plus laid. Ainsi, de toutes façons, vous étiez surprise à propos de rien.

35 LISETTE, *à part*.   Voilà un vilain petit homme ; je lui fais des compliments, et il me querelle !

ARLEQUIN, *comme lui demandant ce qu'elle dit*.   Hein ?

LISETTE.   J'ai du malheur de[3] ce que je vous dis ; et j'avoue qu'à vous voir seulement, je me serais promis une conversation
40 plus douce.

---

1. *Aimable* : digne d'être aimé.
2. *Vous ... États* : vous voulez m'en faire accroire, vous voulez me tromper par vos discours sur les sujets et les États.
3. *J'ai du malheur de* : je suis triste de.

ARLEQUIN. Dame ! Mademoiselle, il n'y a rien de si trompeur que la mine des gens.

LISETTE. Il est vrai que la vôtre m'a trompée ; et voilà comme on a souvent tort de se prévenir en faveur de
45 quelqu'un[1].

ARLEQUIN. Oh ! très tort ; mais que voulez-vous ? je n'ai pas choisi ma physionomie.

LISETTE, *en le regardant comme étonnée.* Non, je n'en saurais revenir quand je vous regarde.

50 ARLEQUIN. Me voilà pourtant ; et il n'y a point de remède, je serai toujours comme cela.

LISETTE, *d'un air un peu fâché.* Oh ! j'en suis persuadée.

ARLEQUIN. Par bonheur, vous ne vous en souciez guère ?

LISETTE. Pourquoi me demandez-vous cela ?

55 ARLEQUIN. Eh ! pour le savoir.

LISETTE, *d'un air naturel.* Je serais bien sotte de vous dire la vérité là-dessus, et une fille doit se taire.

ARLEQUIN, *à part les premiers mots.* Comme elle y va ! Tenez, dans le fond, c'est dommage que vous soyez une si grande
60 coquette.

LISETTE. Moi ?

ARLEQUIN. Vous-même.

LISETTE. Savez-vous bien qu'on n'a jamais dit pareille chose à une femme, et que vous m'insultez ?

65 ARLEQUIN, *d'un air naïf.* Point du tout ; il n'y a point de mal à voir ce que les gens nous montrent. Ce n'est point

---

1. *Se prévenir en faveur de quelqu'un :* se laisser aller à des idées préconçues en faveur de quelqu'un.

moi qui ai tort de vous trouver coquette ; c'est vous qui avez
tort de l'être, Mademoiselle.

LISETTE, *d'un air un peu vif.*   Mais par où voyez-vous donc
70 que je la suis[1] ?

ARLEQUIN.   Parce qu'il y a une heure que vous me dites
des douceurs, et que vous prenez le tour pour me dire[2] que
vous m'aimez. Écoutez, si vous m'aimez tout de bon[3], retirez-
vous vite, afin que cela s'en aille ; car je suis pris, et
75 naturellement je ne veux pas qu'une fille me fasse l'amour la
première ; c'est moi qui veux commencer à le faire à la
fille ; cela est bien meilleur. Et si vous ne m'aimez pas... eh !
fi[4] ! Mademoiselle, fi ! fi !

LISETTE.   Allez, allez, vous n'êtes qu'un visionnaire.

80 ARLEQUIN.   Comment est-ce que les garçons, à la Cour,
peuvent souffrir ces manières-là dans leurs maîtresses ? Par la
morbleu[5] ! qu'une femme est laide quand elle est coquette !

LISETTE.   Mais, mon pauvre garçon, vous extravaguez[6].

ARLEQUIN.   Vous parlez de Silvia, c'est cela qui est
85 aimable ! Si je vous contais notre amour, vous tomberiez
dans l'admiration de sa modestie. Les premiers jours il fallait
voir comme elle se reculait d'auprès de moi[7] ; et puis elle
reculait plus doucement ; puis, petit à petit, elle ne reculait
plus ; ensuite elle me regardait en cachette ; et puis elle avait

---

1. *Que je la suis :* « la » reprend « coquette » ; on dit aujourd'hui
« que je le suis ».
2. *Vous prenez le tour pour me dire :* vous cherchez à me dire.
3. *Tout de bon :* pour de bon, vraiment.
4. *Fi :* interjection familière pour exprimer le mépris, le dégoût.
5. *Par la morbleu :* forme atténuée de « par la mort de Dieu » (juron).
6. *Vous extravaguez :* vous divaguez, vous délirez.
7. *Elle se reculait d'auprès de moi :* elle se tenait à distance.

90 honte quand je l'avais vue faire, et puis moi j'avais un plaisir
de roi à voir sa honte ; ensuite j'attrapais sa main, qu'elle
me laissait prendre ; et puis elle était encore toute confuse ;
et puis je lui parlais ; ensuite elle ne me répondait rien, mais
n'en pensait pas moins ; ensuite elle me donnait des regards
95 pour des paroles, et puis des paroles qu'elle laissait aller sans
y songer, parce que son cœur allait plus vite qu'elle ; enfin,
c'était un charme[1] ; aussi j'étais comme un fou. Et voilà ce
qui s'appelle une fille ; mais vous ne ressemblez point à
Silvia.

100 LISETTE.   En vérité, vous me divertissez, vous me faites rire.

ARLEQUIN, *en s'en allant*.   Oh ! pour moi, je m'ennuie de
vous faire rire à vos dépens. Adieu ; si tout le monde était
comme moi, vous trouveriez plus tôt un merle blanc[2] qu'un
amoureux.
Trivelin arrive quand elle sort.

SCÈNE 7.   ARLEQUIN, LISETTE, TRIVELIN.

TRIVELIN, *à Arlequin*.   Vous sortez ?

ARLEQUIN.   Oui ; cette demoiselle veut que je l'aime, mais
il n'y a pas moyen.

TRIVELIN.   Allons, allons faire un tour, en attendant le
5 dîner ; cela vous désennuiera.

---

1. *Charme* : envoûtement (sens étymologique).
2. Cet oiseau n'existe pas (voir l'expression « l'oiseau rare »).

SCÈNE 8. LE PRINCE, FLAMINIA, LISETTE.

FLAMINIA, *à Lisette*. Eh bien, nos affaires avancent-elles ? Comment va le cœur d'Arlequin ?

LISETTE, *d'un air fâché*. Il va très brutalement pour moi.

FLAMINIA. Il t'a donc mal reçue ?

5 LISETTE. Eh ! fi ! Mademoiselle, vous êtes une coquette ; voilà de son style[1].

LE PRINCE. J'en suis fâché, Lisette ; mais il ne faut pas que cela vous chagrine, vous n'en valez pas moins.

LISETTE. Je vous avoue, seigneur, que, si j'étais vaine, je
10 n'aurais pas mon compte. J'ai des preuves que je puis déplaire ; et nous autres femmes, nous nous passons bien de ces preuves-là.

FLAMINIA. Allons, allons, c'est maintenant à moi à[2] tenter l'aventure.

15 LE PRINCE. Puisqu'on ne peut gagner Arlequin, Silvia ne m'aimera jamais.

FLAMINIA. Et moi, je vous dis, seigneur, que j'ai vu Arlequin ; qu'il me plaît, à moi ; que je me suis mis dans la tête de vous rendre content ; que je vous ai promis que vous
20 le seriez ; que je vous tiendrai parole, et que de tout ce que je vous dis là je ne rabattrais pas la valeur d'un mot[3]. Oh ! vous ne me connaissez pas. Quoi ! seigneur, Arlequin et Silvia me résisteraient ! Je ne gouvernerais pas deux cœurs de cette espèce-là ! moi qui l'ai entrepris, moi qui suis opiniâtre, moi
25 qui suis femme ! c'est tout dire. Et moi, j'irais me cacher ! Mon sexe me renoncerait[4], seigneur : vous pouvez

---

1. *Voilà de son style* : voilà son style, voilà comme il parle.
2. *À moi à* : à moi de.
3. *Je ... mot* : je ne reviendrais pas sur une seule de mes paroles.
4. *Mon sexe me renoncerait* : les femmes me renieraient.

en toute sûreté ordonner les apprêts de[1] votre mariage, vous arranger pour cela ; je vous garantis aimé, je vous garantis marié ; Silvia va vous donner son cœur, ensuite sa main ; je
30 l'entends d'ici vous dire : « Je vous aime » ; je vois vos noces, elles se font ; Arlequin m'épouse, vous nous honorez de vos bienfaits, et voilà qui est fini.

LISETTE, *d'un air incrédule*. Tout est fini ? Rien n'est commencé.

35 FLAMINIA. Tais-toi, esprit court[2].

LE PRINCE. Vous m'encouragez à espérer ; mais je vous avoue que je ne vois d'apparence à rien[3].

FLAMINIA. Je les ferai bien venir, ces apparences ; j'ai de bons moyens pour cela. Je vais commencer par aller chercher
40 Silvia : il est temps qu'elle voie Arlequin.

LISETTE. Quand ils se seront vus, j'ai bien peur que tes moyens n'aillent mal.

LE PRINCE. Je pense de même.

FLAMINIA, *d'un air indifférent*. Eh ! nous ne différons que du
45 oui et du non ; ce n'est qu'une bagatelle. Pour moi, j'ai résolu qu'ils se voient librement. Sur la liste des mauvais tours que je veux jouer à leur amour, c'est ce tour-là que j'ai mis à la tête[4].

LE PRINCE. Faites donc à votre fantaisie.

50 FLAMINIA. Retirons-nous ; voici Arlequin qui vient.

---

1. *Ordonner les apprêts de* : ordonner que l'on prépare.
2. *Esprit court* : se dit de quelqu'un qui n'a pas d'esprit, pas de jugement.
3. *Je ne vois d'apparence à rien* : je ne vois rien se dessiner.
4. *Que j'ai mis à la tête* : que j'ai privilégié.

SCÈNE 9. ARLEQUIN, TRIVELIN

et une suite de valets.

ARLEQUIN.   Par parenthèse, dites-moi une chose ; il y a une heure que je rêve[1] à quoi servent ces grands drôles bariolés qui nous accompagnent partout. Ces gens-là sont bien curieux !

5 TRIVELIN.   Le prince, qui vous aime, commence par là à vous donner des témoignages de sa bienveillance ; il veut que ces gens-là vous suivent pour vous faire honneur.

ARLEQUIN.   Oh ! oh ! c'est donc une marque d'honneur ?

TRIVELIN.   Oui, sans doute.

10 ARLEQUIN.   Et, dites-moi, ces gens-là qui me suivent, qui est-ce qui les suit, eux ?

TRIVELIN.   Personne.

ARLEQUIN.   Et vous, n'avez-vous personne aussi ?

TRIVELIN.   Non.

15 ARLEQUIN.   On ne vous honore donc pas, vous autres ?

TRIVELIN.   Nous ne méritons pas cela.

ARLEQUIN, *en colère et prenant son bâton.*   Allons, cela étant, hors d'ici ! Tournez-moi les talons avec toutes ces canailles-là.

20 TRIVELIN.   D'où vient donc cela ?

ARLEQUIN.   Détalez ; je n'aime point les gens sans honneur et qui ne méritent pas qu'on les honore.

TRIVELIN.   Vous ne m'entendez pas.

ARLEQUIN, *en le frappant.*   Je m'en vais donc vous parler 25 plus clairement.

---

1. *Que je rêve :* que je médite, que je réfléchis.

55

TRIVELIN, *en s'enfuyant.* Arrêtez, arrêtez ; que faites-vous ? *Arlequin court aussi après les autres valets qu'il chasse ; et Trivelin se réfugie dans une coulisse.*

SCÈNE 10.   ARLEQUIN, TRIVELIN.

ARLEQUIN *revient sur le théâtre.* Ces marauds-là[1] ! j'ai eu toutes les peines du monde à les congédier. Voilà une drôle de façon d'honorer un honnête homme, que de mettre une troupe de coquins après lui ; c'est se moquer du monde. *(Il*
5 *se retourne et voit Trivelin qui revient.)* Mon ami, est-ce que je ne me suis pas bien expliqué ?

TRIVELIN, *de loin.* Écoutez, vous m'avez battu ; mais je vous le pardonne. Je vous crois un garçon raisonnable.

ARLEQUIN.   Vous le voyez bien.

10 TRIVELIN, *de loin.* Quand je vous dis que nous ne méritons pas d'avoir des gens à notre suite, ce n'est pas que nous manquions d'honneur ; c'est qu'il n'y a que les personnes considérables, les seigneurs, les gens riches, qu'on honore de cette manière-là. S'il suffisait d'être honnête homme, moi qui
15 vous parle, j'aurais après moi une armée de valets.

ARLEQUIN, *remettant sa latte[2].* Oh ! à présent je vous comprends. Que diantre ! que ne dites-vous la chose comme il faut ? Je n'aurais pas les bras démis, et vos épaules s'en porteraient mieux.

20 TRIVELIN.   Vous m'avez fait mal.

ARLEQUIN.   Je le crois bien, c'était mon intention. Par

---

1. *Ces marauds-là :* ces coquins-là (terme d'injure).
2. *Sa latte :* ou « sa batte » (sorte de bâton).

bonheur ce n'est qu'un malentendu, et vous devez être bien
aise d'avoir reçu innocemment[1] les coups de bâton que je
vous ai donnés. Je vois bien à présent que c'est qu'on fait[2]
25 ici tout l'honneur aux gens considérables, riches, et à celui
qui n'est qu'honnête homme, rien.

TRIVELIN.   C'est cela même.

ARLEQUIN, *d'un air dégoûté.*   Sur ce pied-là ce n'est pas grand-
chose que d'être honoré, puisque cela ne signifie pas qu'on
30 soit honorable.

TRIVELIN.   Mais on peut être honorable avec cela.

ARLEQUIN.   Ma foi ! tout bien compté, vous me ferez plaisir
de me laisser sans compagnie. Ceux qui me verront tout seul
me prendront tout d'un coup pour un honnête homme ;
35 j'aime autant cela que d'être pris pour un grand seigneur.

TRIVELIN.   Nous avons ordre de rester auprès de vous.

ARLEQUIN.   Menez-moi donc voir Silvia.

TRIVELIN.   Vous serez satisfait, elle va venir... Parbleu ! je
ne me trompe pas, car la voilà qui entre. Adieu ! je me retire.

SCÈNE 11.   SILVIA, FLAMINIA, ARLEQUIN.

SILVIA, *en entrant, accourt avec joie.*   Ah ! le voici. Eh ! mon
cher Arlequin, c'est donc vous ! Je vous revois donc ! Le
pauvre enfant ! que je suis aise[3] !

---

1. *Innocemment* : sans avoir nui à quelqu'un, sans avoir accompli de
crime (sens étymologique).
2. *Je vois bien ... que c'est qu'on fait...* : je vois bien ce que c'est,
on fait...
3. *Que je suis aise* : que je suis contente.

ARLEQUIN, *tout essoufflé de joie.* Et moi aussi. *(Il prend sa*
5 *respiration.)* Oh ! oh ! je me meurs de joie.

SILVIA. Là, là, mon fils[1], doucement. Comme il m'aime ;
quel plaisir d'être aimée comme cela !

FLAMINIA, *en les regardant tous deux.* Vous me ravissez tous
deux, mes chers enfants, et vous êtes bien aimables de vous
10 être si fidèles. *(Et comme tout bas.)* Si quelqu'un m'entendait
dire cela, je serais perdue... mais, dans le fond du cœur, je
vous estime et je vous plains.

SILVIA, *lui répondant.* Hélas ! c'est que vous êtes un bon
cœur. J'ai bien soupiré, mon cher Arlequin.

15 ARLEQUIN, *tendrement, et lui prenant la main.* M'aimez-vous
toujours ?

SILVIA. Si je vous aime ! Cela se demande-t-il ? est-ce une
question à faire ?

FLAMINIA, *d'un air naturel, à Arlequin.* Oh ! pour cela, je
20 puis vous certifier sa tendresse. Je l'ai vue au désespoir, je
l'ai vue pleurer de votre absence ; elle m'a touchée moi-
même. Je mourais d'envie de vous voir ensemble ; vous voilà.
Adieu, mes amis ; je m'en vais, car vous m'attendrissez. Vous
me faites tristement ressouvenir d'un amant que j'avais et qui
25 est mort. Il avait de l'air d'Arlequin[2] et je ne l'oublierai jamais.
Adieu, Silvia ; on m'a mise auprès de vous, mais je ne vous
desservirai point. Aimez toujours Arlequin, il le mérite ; et
vous, Arlequin, quelque chose qu'il arrive[3], regardez-moi
comme[4] une amie, comme une personne qui voudrait pouvoir
30 vous obliger : je ne négligerai rien pour cela.

---

1. *Mon fils :* terme affectueux.
2. *Il avait de l'air d'Arlequin :* il avait quelque chose de, il ressemblait
à Arlequin.
3. *Quelque chose qu'il arrive :* quoi qu'il arrive.
4. *Regardez-moi comme :* considérez-moi comme.

ARLEQUIN, *doucement*. Allez, Mademoiselle, vous êtes une fille de bien. Je suis votre ami aussi, moi. Je suis fâché de la mort de votre amant ; c'est bien dommage que vous soyez affligée, et nous aussi.
Flaminia sort.

SCÈNE 12. ARLEQUIN, SILVIA.

SILVIA, *d'un air plaintif*. Eh bien ! mon cher Arlequin ?

ARLEQUIN. Eh bien ! mon âme ?

SILVIA. Nous sommes bien malheureux !

ARLEQUIN. Aimons-nous toujours ; cela nous aidera à
5 prendre patience.

SILVIA. Oui, mais notre amitié, que deviendra-t-elle ? Cela m'inquiète.

ARLEQUIN. Hélas ! m'amour, je vous dis de prendre patience, mais je n'ai pas plus de courage que vous. *(Il lui prend la*
10 *main.)* Pauvre petit trésor à moi, m'amie ! il y a trois jours que je n'ai vu ces beaux yeux-là ; regardez-moi toujours, pour me récompenser.

SILVIA, *d'un air inquiet*. Ah ! j'ai bien des choses à vous dire. J'ai peur de vous perdre ; j'ai peur qu'on ne vous fasse
15 quelque mal par méchanceté de jalousie[1], j'ai peur que vous ne soyez trop longtemps sans me voir, et que vous ne vous y accoutumiez.

ARLEQUIN. Petit cœur, est-ce que je m'accoutumerais à être malheureux ?

---

1. *Par méchanceté de jalousie :* à cause de la méchanceté due à la jalousie.

20 SILVIA.   Je ne veux point que vous m'oubliiez, je ne veux
point non plus que vous enduriez rien[1] à cause de moi ; je
ne sais point dire ce que je veux, je vous aime trop. C'est
une pitié que mon embarras ; tout me chagrine.

ARLEQUIN, *pleurant*.   Hi ! hi ! hi ! hi !

25 SILVIA, *tristement*.   Oh bien ! Arlequin, je m'en vais donc
pleurer aussi, moi.

ARLEQUIN.   Comment voulez-vous que je m'empêche de
pleurer, puisque vous voulez être si triste ? si vous aviez un
peu de compassion, est-ce que vous seriez si affligée ?

30 SILVIA.   Demeurez donc en repos ; je ne vous dirai plus
que je suis chagrine.

ARLEQUIN.   Oui ; mais je devinerai que vous l'êtes. Il faut
me promettre que vous ne le serez plus.

SILVIA.   Oui, mon fils ; mais promettez-moi aussi que vous
35 m'aimerez toujours.

ARLEQUIN, *en s'arrêtant tout court pour la regarder*.   Silvia, je
suis votre amant ; vous êtes ma maîtresse ; retenez-le bien,
car cela est vrai ; et tant que je serai en vie, cela ira toujours
le même train[2], cela ne branlera[3] pas ; je mourrai de compagnie
40 avec[4] cela. Ah çà ! dites-moi le serment que vous voulez que
je vous fasse ?

SILVIA, *bonnement*.   Voilà qui va bien ; je ne sais point de
serments ; vous êtes un garçon d'honneur ; j'ai votre amitié,
vous avez la mienne ; je ne la reprendrai pas. À qui est-ce
45 que je la porterais ? N'êtes-vous pas le plus joli garçon qu'il
y ait ? Y a-t-il quelque fille qui puisse vous aimer autant que
moi ? Eh bien ? n'est-ce pas assez ? nous en faut-il

---

1. *Rien :* quelque chose (sens étymologique).
2. *Ira toujours le même train :* continuera.
3. *Branlera :* changera.
4. *De compagnie avec :* en compagnie de.

davantage ? Il n'y a qu'à rester comme nous sommes, il n'y
aura pas besoin de serments.

50 ARLEQUIN.   Dans cent ans d'ici, nous serons tout de même.

SILVIA.   Sans doute.

ARLEQUIN.   Il n'y a donc rien à craindre, m'amie ; tenons-
nous donc joyeux.

SILVIA.   Nous souffrirons peut-être un peu ; voilà tout.

55 ARLEQUIN.   C'est une bagatelle. Quand on a un peu pâti[1],
le plaisir en semble meilleur.

SILVIA.   Oh ! pourtant, je n'aurais que faire de pâtir pour
être bien aise, moi.

ARLEQUIN.   Il n'y aura qu'à ne pas songer que nous
60 pâtissons.

SILVIA, *en le regardant tendrement*.   Ce cher petit homme,
comme il m'encourage !

ARLEQUIN, *tendrement*.   Je ne m'embarrasse que[2] de vous.

SILVIA, *en le regardant*.   Où est-ce qu'il prend tout ce qu'il
65 me dit ? Il n'y a que lui au monde comme cela ; mais aussi
il n'y a que moi pour vous aimer, Arlequin.

ARLEQUIN *saute d'aise*.   C'est comme du miel, ces paroles-là.
En même temps, vient Flaminia avec Trivelin.

SCÈNE 13. ARLEQUIN, SILVIA, FLAMINIA, TRIVELIN.

TRIVELIN, *à Silvia*.   Je suis au désespoir de vous
interrompre ; mais votre mère vient d'arriver, Mademoiselle
Silvia, et elle demande instamment à vous parler.

---

1. *Pâti* : souffert.
2. *Je ne m'embarrasse que* : je ne me soucie que.

SILVIA, *regardant Arlequin*.   Arlequin, ne me quittez pas ; je
5 n'ai rien de secret pour vous.

ARLEQUIN, *la prenant sous le bras*.   Marchons, ma petite.

FLAMINIA, *d'un air de confiance et s'approchant d'eux*.   Ne
craignez rien, mes enfants. Allez toute seule trouver votre
mère, ma chère Silvia, cela sera plus séant[1]. Vous êtes libres
10 de vous voir autant qu'il vous plaira ; c'est moi qui vous en
assure. Vous savez bien que je ne voudrais pas vous tromper.

ARLEQUIN.   Oh ! non ; vous êtes de notre parti, vous.

SILVIA.   Adieu donc, mon fils ; je vous rejoindrai bientôt.
Elle sort.

ARLEQUIN, *à Flaminia qui veut s'en aller et qu'il arrête*.   Notre
15 amie, pendant qu'elle sera là, restez avec moi pour empêcher
que je ne m'ennuie ; il n'y a ici que votre compagnie que je
puisse endurer.

FLAMINIA, *comme en secret*.   Mon cher Arlequin, la vôtre me
fait bien du plaisir aussi ; mais j'ai peur qu'on ne s'aperçoive
20 de l'amitié que j'ai pour vous.

TRIVELIN.   Seigneur Arlequin, le dîner est prêt.

ARLEQUIN, *tristement*.   Je n'ai point de faim[2].

FLAMINIA, *d'un air d'amitié*.   Je veux que vous mangiez, vous
en avez besoin.

25 ARLEQUIN, *doucement*.   Croyez-vous ?

FLAMINIA.   Oui.

ARLEQUIN.   Je ne saurais. *(À Trivelin.)* La soupe est-elle
bonne ?

TRIVELIN.   Exquise.

---

1. *Séant* : convenable.
2. *Point de faim* : pas faim.

30 ARLEQUIN.   Hum ! il faut attendre Silvia ; elle aime le potage.

FLAMINIA.   Je crois qu'elle dînera avec sa mère. Vous êtes le maître pourtant ; mais je vous conseille de les laisser ensemble ; n'est-il pas vrai ? Après dîner vous la verrez.

35 ARLEQUIN.   Je le veux bien ; mais mon appétit n'est pas encore ouvert.

TRIVELIN.   Le vin est au frais, et le rôt[1] tout prêt.

ARLEQUIN.   Je suis si triste !... Ce rôt est donc friand ?

TRIVELIN.   C'est du gibier qui a une mine[2] !...

40 ARLEQUIN.   Que de chagrin ! Allons donc ; quand la viande est froide, elle ne vaut rien.

FLAMINIA.   N'oubliez pas de boire à ma santé.

ARLEQUIN.   Venez boire à la mienne, à cause de la connaissance[3].

45 FLAMINIA.   Oui-da, de tout mon cœur ; jai une demi-heure à vous donner.

ARLEQUIN.   Bon ! je suis content de vous.

---

1. *Rôt :* se dit de toutes les viandes rôties.
2. *Une mine :* l'air appétissant.
3. *À cause de la connaissance :* puisqu'on a fait connaissance.

Divertissement[1]

Par le fumet de ces chapons,
Par ces gigots, par ma poularde,
Par la liqueur de ces flacons,
Par nos ragoûts à la moutarde,
Par la vertu de ces jambons
Je te conjure, âme gourmande,
De venir avaler la viande
Que dévorent tes yeux gloutons.
Ami tu ne peux plus attendre,
Viens, ce rôt a charmé ton cœur,
Je reconnais à ton air tendre *(bis)*
L'excès de ta friande ardeur.
Suis-nous, il est temps de te rendre.

Viens goûter la douceur
De gruger ton vainqueur.
Il est temps de te rendre.
Viens goûter la douceur
De gruger ton vainqueur.

---

1. Ce divertissement, dont la partition est de Jean-Joseph Mouret
(1682-1738), était sans doute chanté par un « traiteur » (restaurateur)
à la fin du premier acte.

Ensemble de l'acte I

L'EXPOSITION

L'acte premier est traditionnellement appelé « acte d'exposition », puisqu'il est écrit avec le souci de présenter nettement les protagonistes (voir p. 174) et la situation.

1. Tous les personnages principaux semblent se répartir en deux groupes antagonistes (voir p. 173) dont l'opposition va engendrer l'action dramatique. Définissez ces deux camps et ceux qui y appartiennent. Dans quel groupe placez-vous le personnage de Flaminia au début de l'acte ? Quelle modification semble s'esquisser pour elle à partir de la scène 9 ?

2. Quelle est la situation de départ ? Quel développement de l'action le spectateur peut-il prévoir ? Justifiez votre réponse à l'aide d'éléments du texte.

UNE CRISE VIOLENTE

L'ouverture des pièces classiques place le spectateur au cœur d'un conflit que la suite devra résoudre. Dans le palais, la situation de crise se manifeste par une violence qui s'exerce à différents degrés et sur des plans variés.

3. En quoi la réaction de Silvia après son enlèvement est-elle particulièrement violente (sc. 1) ? Relevez les signes de cette intensité dans ses propos, le ton qu'elle emploie et les gestes qu'on lui suppose.

4. La scène 2 montre l'organisation logique des forces agissant contre Arlequin et Silvia. Montrez la violence de la lutte dans cette scène de complot. Quelles sont les propositions de Trivelin ? Celles de Flaminia sont-elles du même ordre ? En quoi sont-elles aussi inquiétantes ?

5. Certains personnages se heurtent les uns aux autres : observez la violence des rapports entre Lisette et Flaminia (sc. 3 et 8), entre Arlequin et Lisette (sc. 6), entre Arlequin et Trivelin (sc. 4, 9 et 10) en notant les échanges de propos acerbes, voire insultants, les gestes suggérés ou indiqués.

6. Arlequin et Silvia subissent l'enfermement au palais du prince, palais figuré par l'espace de la scène : quelles remarques

pouvez-vous faire sur leur liberté de mouvement et la contrainte qu'ils subissent ? Justifiez votre réponse à l'aide des indications données en début et en fin de scènes et qui règlent leurs entrées et sorties.

UNE SOCIÉTÉ

7. Selon Louis Jouvet, on perçoit chez Marivaux un ton qui annonce celui du dramaturge Beaumarchais (1732-1799). Relevez, en particulier dans les scènes où Arlequin s'oppose à Trivelin (sc. 4, 9 et 10), les traits de satire sociale (voir p. 174). En quoi cette attitude d'Arlequin peut-elle préfigurer le personnage de Figaro dans *le Barbier de Séville* et *le Mariage de Figaro* de Beaumarchais ?

8. À partir de quels éléments peut-on affirmer que le prince est un souverain sage et raisonnable, voire « éclairé » ?

9. Analysez la peinture critique qui est faite de la Cour et des courtisans dans cet acte, en portant votre attention sur le personnage de Trivelin.

10. Les personnages de femmes et les propos sur le sexe féminin sont assez surprenants ici : quelles visions de la féminité Silvia, Flaminia et Lisette donnent-elles ?

Acte II

SCÈNE PREMIÈRE. SILVIA, FLAMINIA.

SILVIA. Oui, je vous crois. Vous paraissez me vouloir du bien. Aussi vous voyez que je ne souffre que vous ; je regarde tous les autres comme mes ennemis. Mais où est Arlequin ?
FLAMINIA. Il va venir ; il dîne encore.
5 SILVIA. C'est quelque chose d'épouvantable que ce pays-ci ! Je n'ai jamais vu de femmes si civiles[1], d'hommes si honnêtes. Ce sont des manières si douces, tant de révérences, tant de compliments, tant de signes d'amitié ! Vous diriez que ce sont les meilleurs gens du monde, qu'ils sont pleins de cœur
10 et de conscience. Point du tout ! De tous ces gens-là, il n'y en a pas un qui ne vienne me dire d'un air prudent : « Mademoiselle, croyez-moi, je vous conseille d'abandonner Arlequin et d'épouser le prince » ; mais ils me conseillent cela tout naturellement, sans avoir honte, non plus que[2] s'ils
15 m'exhortaient à quelque bonne action. « Mais, leur dis-je, j'ai promis à Arlequin ; où est[3] la fidélité, la probité, la bonne foi ? » Ils ne m'entendent pas ; ils ne savent ce que c'est que tout cela ; c'est tout comme si je leur parlais grec. Ils me rient au nez, me disent que je fais l'enfant, qu'une grande
20 fille doit avoir de la raison ; eh ! cela n'est-il pas joli ? Ne

---

1. *Civiles :* exagérément polies.
2. *Non plus que :* pas plus que.
3. *Où est :* où sont.

valoir rien, tromper son prochain, lui manquer de parole, être
fourbe et mensonger ; voilà le devoir des grandes personnes
de ce maudit endroit-ci. Qu'est-ce que c'est que ces gens-là ?
D'où sortent-ils ? De quelle pâte sont-ils[1] ?

25 FLAMINIA.   De la pâte des autres hommes, ma chère Silvia.
Que cela ne vous étonne pas ; ils s'imaginent que ce serait
votre bonheur que le mariage du prince.

SILVIA.   Mais ne suis-je pas obligée d'être fidèle ? N'est-ce
pas mon devoir d'honnête fille ? Et quand on ne fait pas

30 son devoir, est-on heureuse ? Par-dessus le marché, cette fidélité
n'est-elle pas mon charme ? Et on a le courage de me dire :
« Là, fais un mauvais tour, qui ne te rapportera que du mal ;
perds ton plaisir et ta bonne foi » ; et parce que je ne veux
pas, moi, on me trouve dégoûtée !

35 FLAMINIA.   Que voulez-vous ? ces gens-là pensent à leur
façon, et souhaiteraient que le prince fût content.

SILVIA.   Mais ce prince, que ne prend-il une fille qui se
rende à lui de bonne volonté ? Quelle fantaisie d'en vouloir
une qui ne veut pas de lui ! Quel goût trouve-t-il à cela ?

40 Car c'est un abus que tout ce qu'il fait, tous ces concerts,
ces comédies, ces grands repas qui ressemblent à des noces,
ces bijoux qu'il m'envoie ; tout cela lui coûte un argent infini,
c'est un abîme, il se ruine ; demandez-moi ce qu'il y gagne.
Quand il me donnerait toute la boutique d'un mercier, cela

45 ne me ferait pas tant de plaisir qu'un petit peloton[2] qu'Arlequin
m'a donné.

FLAMINIA.   Je n'en doute pas ; voilà ce que c'est que
l'amour ; j'ai aimé de même, et je me reconnais au peloton.

SILVIA.   Tenez, si j'avais eu à changer Arlequin contre un

1. *De quelle pâte sont-ils :* de quelle matière sont-ils faits (expression familière).
2. *Peloton :* petite pelote où l'on met des épingles.

50 autre, ç'aurait été contre un officier du palais, qui m'a vue
cinq ou six fois et qui est d'aussi bonne façon[1] qu'on puisse
être. Il y a bien à tirer si le prince le vaut[2] ; c'est dommage
que je n'aie pu l'aimer dans le fond et je le plains plus que
le prince.

55 FLAMINIA, *souriant en cachette.* Oh ! Silvia, je vous assure
que vous plaindrez le prince autant que lui, quand vous le
connaîtrez.

SILVIA. Eh bien ! qu'il tâche de m'oublier, qu'il me renvoie,
qu'il voie d'autres filles. Il y en a ici qui ont leur amant tout
60 comme moi ; mais cela ne les empêche pas d'aimer tout le
monde ; j'ai bien vu que cela ne leur coûte rien ; mais pour
moi, cela m'est impossible.

FLAMINIA. Eh ! ma chère enfant, avons-nous rien ici qui
vous vaille, rien qui approche de vous ?

65 SILVIA, *d'un air modeste.* Oh ! que si ; il y en a de plus
jolies que moi ; et quand elles seraient la moitié moins jolies,
cela leur fait plus de profit qu'à moi d'être tout à fait belle.
J'en vois ici de laides qui font si bien aller leur visage, qu'on
y est trompé.

70 FLAMINIA. Oui, mais le vôtre va tout seul, et cela est
charmant.

SILVIA. Bon ! moi, je ne parais rien, je suis toute d'une
pièce auprès d'elles ; je demeure là, je ne vais ni ne viens ;
au lieu qu'elles, elles sont d'une humeur joyeuse ; elles ont
75 des yeux qui caressent tout le monde ; elles ont une mine
hardie, une beauté libre qui ne se gêne point, qui est sans
façon ; cela plaît davantage que non pas une[3] honteuse
comme moi, qui n'ose regarder les gens et qui est confuse
qu'on la trouve belle.

---

1. *Façon :* mine, apparence d'une personne.
2. *Il y a ... vaut :* il y a peu de chances que le prince le vaille.
3. *Que non pas une :* qu'une (tournure populaire).

80 FLAMINIA.   Eh ! voilà justement ce qui touche le prince, voilà ce qu'il estime, c'est cette ingénuité, cette beauté simple, ce sont ces grâces naturelles. Eh ! croyez-moi, ne louez pas tant les femmes d'ici ; car elles ne vous louent guère.

SILVIA.   Qu'est-ce donc qu'elles disent ?

85 FLAMINIA.   Des impertinences ; elles se moquent de vous, raillent le prince[1], lui demandent comment se porte sa beauté rustique. « Y a-t-il de visage plus commun ? disaient l'autre jour ces jalouses entre elles ; de taille plus gauche ? » Là-dessus l'une vous prenait par les yeux, l'autre par la bouche ;
90 il n'y avait pas jusqu'aux hommes qui ne vous trouvaient pas trop jolie. J'étais dans une colère !...

SILVIA, *fâchée*.   Pardi ! voilà de vilains hommes, de trahir comme cela leur pensée, pour plaire à ces sottes-là.

FLAMINIA.   Sans difficulté.

95 SILVIA.   Que je hais ces femmes-là ! Mais puisque je suis si peu agréable à leur compte, pourquoi donc est-ce que le prince m'aime et qu'il les laisse là ?

FLAMINIA.   Oh ! elles sont persuadées qu'il ne vous aimera pas longtemps, que c'est un caprice qui lui passera, et qu'il
100 en rira tout le premier.

SILVIA, *piquée et après avoir un peu regardé Flaminia*.   Hum ! elles sont bien heureuses que j'aime Arlequin ; sans cela j'aurais grand plaisir à les faire mentir, ces babillardes-là.

FLAMINIA.   Ah ! qu'elles mériteraient bien d'être punies ! Je
105 leur ai dit : « Vous faites ce que vous pouvez pour faire renvoyer Silvia et pour plaire au prince ; et si elle le voulait, il ne daignerait pas vous regarder. »

SILVIA.   Pardi ! vous voyez bien ce qui en est[2] ; il ne tient qu'à moi de les confondre.

---

1. *Raillent le prince :* se moquent du prince.
2. *Ce qui en est :* ce qu'il en est.

110 FLAMINIA.   Voilà de la compagnie qui vous vient.

SILVIA.   Eh ! je crois que c'est cet officier dont je vous ai parlé ; c'est lui-même. Voyez la belle physionomie d'homme !

SCÈNE 2.   LE PRINCE, *sous le nom d'officier du palais,* LISETTE, *sous le nom de dame de la Cour,* *et les acteurs précédents.*
Le prince, en voyant Silvia, salue avec beaucoup de soumission.

SILVIA.   Comment ! vous voilà, Monsieur ? Vous saviez donc bien que j'étais ici ?

LE PRINCE.   Oui, Mademoiselle, je le savais ; mais vous m'aviez dit de ne plus vous voir, et je n'aurais osé paraître
5 sans Madame, qui a souhaité que je l'accompagnasse, et qui a obtenu du prince l'honneur de vous faire la révérence.
La dame ne dit mot et regarde seulement Silvia avec attention ; Flaminia et elle se font des signes d'intelligence.

SILVIA, *doucement.*   Je ne suis pas fâchée de vous revoir et vous me trouvez bien triste. À l'égard de[1] cette dame, je la remercie de la volonté qu'elle a de me faire une révérence,
10 je ne mérite pas cela ; mais qu'elle me la fasse puisque c'est son désir ; je lui en rendrai une comme je pourrai : elle excusera si je la fais mal.

LISETTE.   Oui, m'amie, je vous excuserai de bon cœur ; je ne vous demande pas l'impossible.

15 SILVIA, *répétant d'un air fâché, et à part, en faisant une révérence.* Je ne vous demande pas l'impossible ! Quelle manière de parler !

LISETTE.   Quel âge avez-vous, ma fille ?

---

1. *À l'égard de :* à propos de.

71

SILVIA, *piquée.*   Je l'ai oublié, ma mère.

20 FLAMINIA, *à Silvia.*   Bon.

Le prince paraît et affecte d'être surpris.

LISETTE.   Elle se fâche, je pense ?

LE PRINCE.   Mais, Madame, que signifient ces discours-là ?
Sous prétexte de venir saluer Silvia, vous lui faites une
insulte !

25 LISETTE.   Ce n'est pas mon dessein. J'avais la curiosité de
voir cette petite fille qu'on aime tant, qui fait naître une si
forte passion ; et je cherche ce qu'elle a de si aimable. On
dit qu'elle est naïve, c'est un agrément campagnard qui doit
la rendre amusante ; priez-la de nous donner quelques traits

30 de naïveté ; voyons son esprit.

SILVIA.   Eh ! non, Madame, ce n'est pas la peine ; il n'est
pas si plaisant que le vôtre.

LISETTE, *riant.*   Ah ! ah ! vous demandiez du naïf ; en voilà.

LE PRINCE, *à Lisette.*   Allez-vous-en, Madame.

35 SILVIA.   Cela m'impatiente à la fin ; et si elle ne s'en va, je
me fâcherai tout de bon.

LE PRINCE, *à Lisette.*   Vous vous repentirez de votre procédé.

LISETTE, *en se retirant, d'un air dédaigneux.*   Adieu ; un pareil
objet[1] me venge assez de celui qui en a fait choix.

SCÈNE 3.   LE PRINCE, SILVIA, FLAMINIA.

FLAMINIA.   Voilà une créature bien effrontée !

SILVIA.   Je suis outrée ! J'ai bien affaire qu'on m'enlève pour
se moquer de moi, chacun a son prix. Ne semble-t-il pas que

---

1. *Objet :* personne (vocabulaire précieux, voir « préciosité » p. 174).

je ne vaille pas bien ces femmes-là ? Je ne voudrais pas être
5 changée contre elles.

FLAMINIA. Bon ! ce sont des compliments que les injures
de cette jalouse-là.

LE PRINCE. Belle Silvia, cette femme-là nous a trompés, le
prince et moi ; vous m'en voyez au désespoir, n'en doutez
10 pas. Vous savez que je suis pénétré de respect pour vous ;
vous connaissez mon cœur. Je venais ici pour me donner la
satisfaction de vous voir, pour jeter encore une fois les yeux
sur une personne si chère, et reconnaître notre souveraine ;
mais je ne prends pas garde que je me découvre[1], que Flaminia
15 m'écoute, et que je vous importune encore.

FLAMINIA, *d'un air naturel*. Quel mal faites-vous ? Ne sais-
je pas bien qu'on ne peut la voir sans l'aimer ?

SILVIA. Et moi, je voudrais qu'il ne m'aimât pas, car j'ai
du chagrin de ne pouvoir lui rendre le change[2]. Encore si
20 c'était un homme comme tant d'autres, à qui on dit ce qu'on
veut ; mais il est trop agréable pour qu'on le maltraite, lui :
il a toujours été comme vous le voyez.

LE PRINCE. Ah ! que vous êtes obligeante, Silvia ! Que
puis-je faire pour mériter ce que vous venez de me dire, si
25 ce n'est de vous aimer toujours ?

SILVIA. Eh bien ! aimez-moi, à la bonne heure ; j'y aurai
du plaisir pourvu que vous promettiez de prendre votre mal
en patience ; car je ne saurais mieux faire, en vérité. Arlequin
est venu le premier ; voilà tout ce qui vous nuit. Si j'avais
30 deviné que vous viendriez après lui, en bonne foi je vous
aurais attendu ; mais vous avez du malheur, et moi je ne
suis pas heureuse.

LE PRINCE. Flaminia, je vous en fais juge, pourrait-on cesser

---

1. *Je me découvre :* je dévoile mon secret.
2. *Rendre le change :* rendre la pareille, faire de même.

Le prince (Louis Basile Samier) et Silvia (Claude Alexis).
Mise en scène de Michel Dubois. T.E.P., 1984.

d'aimer Silvia ? Connaissez-vous de cœur plus compatissant,
35 plus généreux que le sien ? Non, la tendresse d'un autre me
toucherait moins que la seule bonté qu'elle a de me plaindre.

SILVIA, *à Flaminia.* Et moi, je vous en fais juge aussi, là,
vous l'entendez ; comment se comporter avec un homme qui
me remercie toujours, qui prend tout ce qu'on lui dit en
40 bien ?

FLAMINIA. Franchement, il a raison, Silvia : vous êtes
charmante, et à sa place je serais tout comme il est.

SILVIA. Ah çà ! n'allez pas l'attendrir encore : il n'a pas
besoin qu'on lui dise que je suis jolie ; il le croit assez. *(Au*
45 *prince.)* Croyez-moi, tâchez de m'aimer tranquillement, et
vengez-moi de cette femme qui m'a injuriée.

LE PRINCE. Oui, ma chère Silvia, j'y cours. À mon égard,
de quelque façon que vous me traitiez, mon parti est pris ;
j'aurais du moins le plaisir de vous aimer toute ma vie.

50 SILVIA. Oh ! je m'en doutais bien ; je vous connais.

FLAMINIA. Allez, Monsieur ; hâtez-vous d'informer le prince
du mauvais procédé de la dame en question, il faut que tout
le monde sache ici le respect qui est dû à Silvia.

LE PRINCE. Vous aurez bientôt de mes nouvelles.

SCÈNE 4. SILVIA, FLAMINIA.

FLAMINIA. Vous, ma chère, pendant que je vais chercher
Arlequin, qu'on retient peut-être un peu trop longtemps à
table, allez essayer l'habit qu'on vous a fait ; il me tarde de
vous le voir.

5 SILVIA. Tenez, l'étoffe est belle ; elle m'ira bien ; mais je
ne veux point de tous ces habits-là ; car le prince me veut
en troc, et jamais nous ne finirons ce marché-là.

FLAMINIA.   Vous vous trompez ; quand il vous quitterait, vous emporteriez tout ; vraiment, vous ne le connaissez pas.

10 SILVIA.   Je m'en vais donc sur votre parole ; pourvu qu'il ne me dise pas après : « Pourquoi as-tu pris mes présents ? »

FLAMINIA.   Il vous dira : « Pourquoi n'en avoir pas pris davantage ? »

SILVIA.   En ce cas-là, j'en prendrai tant qu'il voudra, afin
15 qu'il n'ait rien à me dire.

FLAMINIA.   Allez, je réponds de tout.

SCÈNE 5.   FLAMINIA, ARLEQUIN, *tout éclatant de rire, entre avec* TRIVELIN.

FLAMINIA, *à part*.   Il me semble que les choses commencent à prendre forme. Voici Arlequin. En vérité, je ne sais ; mais si ce petit homme venait à m'aimer, j'en profiterais de bon cœur.

5 ARLEQUIN, *riant*.   Ah ! ah ! ah ! Bonjour, mon amie.

FLAMINIA.   Bonjour, Arlequin. Dites-moi donc de quoi vous riez, afin que j'en rie aussi.

ARLEQUIN.   C'est que mon valet Trivelin, que je ne paie point, m'a mené par[1] toutes les chambres de la maison, où
10 l'on trotte comme dans les rues, où l'on jase comme dans notre halle, sans que le maître de la maison s'embarrasse de tous ces visages-là[2] et qui viennent chez lui sans lui donner le bonjour, qui vont le voir manger sans qu'il leur dise : « Voulez-vous boire un coup ? » Je me divertissais de ces

---

1. *Par :* à travers.
2. *Ces visages-là :* ici, ces misérables-là (sens péjoratif).

15 originaux-là en revenant, quand j'ai vu un grand coquin qui
a levé l'habit d'une dame par derrière. Moi, j'ai cru qu'il lui
faisait quelque niche[1], et je lui ai dit tout bonnement[2] :
« Arrêtez-vous, polisson ; vous badinez[3] malhonnêtement. »
Elle, qui m'a entendu, s'est retournée et m'a dit : « Ne voyez-
20 vous pas bien qu'il me porte la queue[4] ? — Et pourquoi
vous la laissez-vous porter, cette queue ? » ai-je repris. Sur
cela le polisson s'est mis à rire ; la dame riait, Trivelin riait,
tout le monde riait ; par compagnie je me suis mis à rire
aussi. À cette heure je vous demande pourquoi nous avons
25 ri tous ?

FLAMINIA.   D'une bagatelle. C'est que vous ne savez pas
que ce que vous avez vu faire à ce laquais est un usage parmi
les dames.

ARLEQUIN.   C'est donc encore un honneur ?

30 FLAMINIA.   Oui, vraiment !

ARLEQUIN.   Pardi ! j'ai donc bien fait d'en rire ; car cet
honneur-là est bouffon et à bon marché.

FLAMINIA.   Vous êtes gai ; j'aime à vous voir comme cela.
Avez-vous bien mangé depuis que je vous ai quitté ?

35 ARLEQUIN.   Ah ! morbleu ! qu'on a apporté de friandes
drogues[5] ! Que le cuisinier d'ici fait de bonnes fricassées ! Il
n'y a pas moyen de tenir contre[6] sa cuisine. J'ai tant bu à la
santé de Silvia et de vous, que, si vous êtes malade, ce ne
sera pas ma faute.

---

1. *Niche* : farce.
2. *Bonnement* : naïvement, de bonne foi.
3. *Vous badinez* : vous plaisantez.
4. *Queue* : chute de tissu à l'arrière de la robe.
5. *Drogues* : marchandises venant des pays éloignés, ici « mets »,
« plats ».
6. *Tenir contre* : résister à.

40 FLAMINIA.   Quoi ! vous vous êtes encore ressouvenu de moi ?

ARLEQUIN.   Quand j'ai donné mon amitié à quelqu'un, jamais je ne l'oublie, surtout à table. Mais, à propos de Silvia, est-elle encore avec sa mère ?

45 TRIVELIN.   Mais, seigneur Arlequin, songerez-vous toujours à Silvia ?

ARLEQUIN.   Taisez-vous quand je parle.

FLAMINIA.   Vous avez tort, Trivelin.

TRIVELIN.   Comment ! j'ai tort !

50 FLAMINIA.   Oui : pourquoi l'empêchez-vous de parler de ce qu'il aime ?

TRIVELIN.   À ce que je vois, Flaminia, vous vous souciez beaucoup des intérêts du prince !

FLAMINIA, *comme épouvantée.*   Arlequin, cet homme-là me fera
55 des affaires[1] à cause de vous.

ARLEQUIN, *en colère.*   Non, ma bonne. *(À Trivelin.)* Écoute : je suis ton maître, car tu me l'as dit ; je n'en savais rien. Fainéant que tu es ! s'il t'arrive de faire le rapporteur et qu'à cause de toi on fasse seulement la moue à cette honnête fille-
60 là, c'est deux oreilles que tu auras de moins ; je te les garantis dans ma poche.

TRIVELIN.   Je ne suis pas à cela près, et je veux faire mon devoir.

ARLEQUIN.   Deux oreilles ; entends-tu bien à présent ?
65 Va-t'en.

TRIVELIN.   Je vous pardonne tout à vous, car enfin il le faut ; mais vous me le payerez, Flaminia.

Il sort. Arlequin veut retourner sur lui, et Flaminia l'arrête.

---

1. *Me fera des affaires :* me causera des ennuis.

SCÈNE 6. ARLEQUIN, FLAMINIA.

ARLEQUIN, *quand il est revenu, dit.* Cela est terrible ! Je n'ai trouvé ici qu'une personne qui entende la raison, et l'on vient chicaner ma conversation avec elle. Ma chère Flaminia, à présent parlons de Silvia à notre aise ; quand je ne la vois
5 point, il n'y a qu'avec vous que je m'en passe.

FLAMINIA, *d'un air simple.* Je ne suis point ingrate ; il n'y a rien que je ne fisse pour vous rendre contents tous deux ; et d'ailleurs vous êtes si estimable, Arlequin, que, quand je vois qu'on vous chagrine, je souffre autant que vous.

10 ARLEQUIN. La bonne sorte de fille ! Toutes les fois que vous me plaignez, cela m'apaise ; je suis la moitié moins fâché d'être triste.

FLAMINIA. Pardi ! qui est-ce qui ne vous plaindrait pas ? Qui est-ce qui ne s'intéresserait pas à vous ? Vous ne
15 connaissez pas ce que vous valez, Arlequin.

ARLEQUIN. Cela se peut bien ; je n'y ai jamais regardé de si près.

FLAMINIA. Si vous saviez combien il m'est cruel de n'avoir point de pouvoir ! si vous lisiez dans mon cœur.

20 ARLEQUIN. Hélas ! je ne sais point lire, mais vous me l'expliquerez. Par la mardi[1] ! je voudrais n'être plus affligé, quand ce ne serait que pour l'amour du[2] souci que cela vous donne ; mais cela viendra.

FLAMINIA, *d'un air triste.* Non, je ne serai jamais témoin de
25 votre contentement ; voilà qui est fini ; Trivelin causera, l'on me séparera d'avec vous ; et que sais-je, moi, où l'on m'emmènera ? Arlequin, je vous parle peut-être pour la

---

1. *Par la mardi* : « par la mère de Dieu » (juron).
2. *Pour l'amour du* : à cause du, par crainte du.

dernière fois, et il n'y a plus de plaisir pour moi dans le monde.

30 ARLEQUIN, *triste.* Pour la dernière fois ! J'ai donc bien du guignon[1] ! Je n'ai qu'une pauvre maîtresse, ils me l'ont emportée ; vous emporteraient-ils encore ? et où est-ce que je prendrai du courage pour endurer tout cela ? Ces gens-là croient-ils que j'ai un cœur de fer ? ont-ils entrepris mon

35 trépas ? seront-ils aussi barbares ?

FLAMINIA. En tout cas, j'espère que vous n'oublierez jamais Flaminia, qui n'a rien tant souhaité que votre bonheur.

ARLEQUIN. M'amie, vous me gagnez le cœur. Conseillez-moi dans ma peine ; avisons-nous[2] ; quelle est votre pensée ?

40 Car je n'ai point d'esprit, moi, quand je suis fâché. Il faut que j'aime Silvia ; il faut que je vous garde ; il ne faut pas que mon amour pâtisse de notre amitié, ni notre amitié de mon amour ; et me voilà bien embarrassé.

FLAMINIA. Et moi bien malheureuse ! Depuis que j'ai perdu

45 mon amant, je n'ai eu de repos qu'en votre compagnie, je respire avec vous ; vous lui ressemblez tant, que je crois quelquefois lui parler ; je n'ai vu dans le monde que vous et lui de si aimables.

ARLEQUIN. Pauvre fille[3] ! il est fâcheux que j'aime Silvia ;

50 sans cela je vous donnerais de bon cœur la ressemblance de votre amant. C'était donc un joli garçon ?

FLAMINIA. Ne vous ai-je pas dit qu'il était fait comme vous, que vous êtes son portrait ?

ARLEQUIN. Et vous l'aimiez donc beaucoup ?

55 FLAMINIA. Regardez-vous, Arlequin ; voyez combien vous méritez d'être aimé, et vous verrez combien je l'aimais.

---

1. *Guignon :* malchance.
2. *Avisons-nous :* consultons-nous, échangeons nos avis.
3. *Pauvre fille :* ici, sens affectueux.

ARLEQUIN. Je n'ai vu personne répondre si doucement que vous. Votre amitié se met partout. Je n'aurais jamais cru être si joli que vous le dites ; mais puisque vous aimiez tant ma
60 copie, il faut bien croire que l'original mérite quelque chose.

FLAMINIA. Je crois que vous m'auriez encore plu davantage ; mais je n'aurais pas été assez belle pour vous.

ARLEQUIN, *avec feu.* Par la sambille[1] ! je vous trouve charmante avec cette pensée-là.

65 FLAMINIA. Vous me troublez, il faut que je vous quitte ; je n'ai que trop de peine à m'arracher d'auprès de vous ; mais où cela nous conduirait-il ? Adieu, Arlequin ; je vous verrai toujours, si on me le permet ; je ne sais où je suis[2].

ARLEQUIN. Je suis tout de même.

70 FLAMINIA. J'ai trop de plaisir à vous voir.

ARLEQUIN. Je ne vous refuse pas ce plaisir-là, moi ; regardez-moi à votre aise, je vous rendrai la pareille.

FLAMINIA, *s'en allant.* Je n'oserais ; adieu.

ARLEQUIN, *seul.* Ce pays-ci n'est pas digne d'avoir cette
75 fille-là. Si par quelque malheur Silvia venait à manquer, dans mon désespoir je crois que je me retirerais avec elle.

SCÈNE 7. TRIVELIN *arrive avec un* SEIGNEUR *qui vient derrière lui,* ARLEQUIN.

TRIVELIN. Seigneur Arlequin, n'y a-t-il point de risque à reparaître ? N'est-ce point compromettre mes épaules ? Car vous jouez merveilleusement de votre épée de bois.

---

1. *Par la sambille :* forme populaire de « palsambleu », c'est-à-dire « par le sang de Dieu » (juron). Voir aussi p. 101, l. 8.
2. « Je ne sais où je suis » peut signifier « je ne sais où j'en suis ».

ARLEQUIN.   Je serai bon quand vous serez sage.

5 TRIVELIN.   Voilà un seigneur qui demande à vous parler.

Le seigneur approche et fait des révérences qu'Arlequin lui rend.

ARLEQUIN, *à part*.   J'ai vu cet homme-là quelque part.

LE SEIGNEUR.   Je viens vous demander une grâce ; mais ne vous incommoderai-je point, Monsieur Arlequin ?

ARLEQUIN.   Non, Monsieur ; vous ne me faites ni bien ni
10 mal, en vérité. *(Voyant le seigneur qui se couvre.)* Vous n'avez seulement qu'à me dire si je dois aussi mettre mon chapeau.

LE SEIGNEUR.   De quelque façon que vous soyez, vous me ferez honneur.

ARLEQUIN, *se couvrant*.   Je vous crois, puisque vous le dites.
15 Que souhaite de moi Votre Seigneurie ? Mais ne me faites point de compliments ; ce serait autant de perdu, car je n'en sais point rendre.

LE SEIGNEUR.   Ce ne sont point des compliments, mais des témoignages d'estime.

20 ARLEQUIN.   Galbanum[1] que tout cela ! Votre visage ne m'est point nouveau, Monsieur ; je vous ai vu quelque part à la chasse, où vous jouiez de la trompette ; je vous ai ôté mon chapeau[2] en passant, et vous me devez ce coup de chapeau-là.

25 LE SEIGNEUR.   Quoi ! je ne vous saluai point ?

ARLEQUIN.   Pas un brin.

LE SEIGNEUR.   Je ne m'aperçus donc pas de vôtre honnêteté[3] ?

---

1. *Galbanum* : sorte de gomme qui sert à piéger les renards, d'où le sens figuré de « promesses trompeuses ».
2. *Je ... chapeau* : je vous ai salué.
3. *Honnêteté* : politesse de l'homme vertueux et sage.

ARLEQUIN.   Oh ! que si ! mais vous n'aviez point de grâce
30 à me demander ; voilà pourquoi je perdis mon étalage[1].

LE SEIGNEUR.   Je ne me reconnais point à cela.

ARLEQUIN.   Ma foi ! vous n'y perdez rien. Mais que vous
plaît-il ?

LE SEIGNEUR.   Je compte sur votre bon cœur ; voici ce que
35 c'est : j'ai eu le malheur de parler cavalièrement de vous
devant le prince...

ARLEQUIN.   Vous n'avez encore qu'à ne vous pas[2] reconnaître
à cela.

LE SEIGNEUR.   Oui ; mais le prince s'est fâché contre moi.

40 ARLEQUIN.   Il n'aime donc pas les médisants ?

LE SEIGNEUR.   Vous le voyez bien.

ARLEQUIN.   Oh ! oh ! voilà qui me plaît ; c'est un honnête
homme ; s'il ne me retenait pas ma maîtresse, je serais fort
content de lui. Et que vous a-t-il dit ? Que vous étiez un
45 malappris ?

LE SEIGNEUR.   Oui.

ARLEQUIN.   Cela est très raisonnable. De quoi vous plaignez-
vous ?

LE SEIGNEUR.   Ce n'est pas là tout : « Arlequin, m'a-t-il
50 répondu, est un garçon d'honneur. Je veux qu'on l'honore,
puisque je l'estime ; la franchise et la simplicité de son
caractère sont des qualités que je voudrais que vous eussiez
tous. Je nuis à son amour et je suis au désespoir que le mien
m'y force. »

55 ARLEQUIN, *attendri*.   Par la morbleu ! je suis son serviteur ;
franchement je fais cas de lui, et je croyais être plus en colère
contre lui que je ne le suis.

---

1. *Je perdis mon étalage* : je fis des frais de politesse pour rien.
2. *Qu'à ne vous pas* : qu'à ne pas vous.

Le Seigneur.   Ensuite il m'a dit de me retirer ; mes amis
là-dessus ont tâché de le fléchir pour moi.

60 Arlequin.   Quand ces amis-là s'en iraient aussi avec vous,
il n'y aurait pas grand mal ; car, dis-moi qui tu hantes, et je
te dirai qui tu es.

Le Seigneur.   Il s'est aussi fâché contre eux.

Arlequin.   Que le ciel bénisse cet homme de bien ; il a
65 vidé là sa maison d'une mauvaise graine de gens.

Le Seigneur.   Et nous ne pouvons reparaître tous qu'à
condition que vous demandiez notre grâce.

Arlequin.   Par ma foi ! Messieurs, allez où il vous plaira ;
je vous souhaite un bon voyage.

70 Le Seigneur.   Quoi ? vous refuserez de prier pour moi ?
Si vous n'y consentiez pas, ma fortune serait ruinée ; à
présent qu'il ne m'est plus permis de voir le prince, que
ferais-je à la Cour ? Il faudra que je m'en aille dans mes
terres, car je suis comme exilé.

75 Arlequin.   Comment ! être exilé, ce n'est donc point vous
faire d'autre mal que de vous envoyer manger votre bien
chez vous ?

Le Seigneur.   Vraiment non ; voilà ce que c'est.

Arlequin.   Et vous vivrez là paix et aise[1] ; vous ferez vos
80 quatre repas comme à l'ordinaire ?

Le Seigneur.   Sans doute ; qu'y a-t-il d'étrange à cela ?

Arlequin.   Ne me trompez-vous pas ? Est-il sûr qu'on est
exilé quand on médit ?

Le Seigneur.   Cela arrive assez souvent.

85 Arlequin *saute d'aise*.   Allons, voilà qui est fait, je m'en
vais médire du premier venu, et j'avertirai Silvia et Flaminia
d'en faire autant.

---

1. *Paix et aise :* en repos et avec toutes les commodités.

LE SEIGNEUR.   Et la raison de cela ?

ARLEQUIN.   Parce que je veux aller en exil, moi. De la
90 manière dont on punit les gens ici, je vais gager qu'il y a
plus de gain à être puni que récompensé.

LE SEIGNEUR.   Quoi qu'il en soit, épargnez-moi cette punition-
là, je vous prie. D'ailleurs ce que j'ai dit de vous n'est pas
grand-chose.

95 ARLEQUIN.   Qu'est-ce que c'est ?

LE SEIGNEUR.   Une bagatelle, vous dis-je.

ARLEQUIN.   Mais voyons.

LE SEIGNEUR.   J'ai dit que vous aviez l'air d'un homme
ingénu, sans malice ; là, d'un garçon de bonne foi.

100 ARLEQUIN *rit de tout son cœur*.   L'air d'un innocent, pour
parler à la franquette[1] ; mais qu'est-ce que cela fait ? Moi,
j'ai l'air d'un innocent ; vous, vous avez l'air d'un homme
d'esprit ; eh bien ! à cause de cela, faut-il s'en fier à notre
air ? N'avez-vous rien dit que cela ?

105 LE SEIGNEUR.   Non ; j'ai ajouté seulement que vous donniez
la comédie à ceux qui vous parlaient.

ARLEQUIN.   Pardi ! il faut bien vous donner votre revanche
à vous autres. Voilà donc tout ?

LE SEIGNEUR.   Oui.

110 ARLEQUIN.   C'est se moquer ; vous ne méritez pas d'être
exilé, vous avez cette bonne fortune-là pour rien.

LE SEIGNEUR.   N'importe, empêchez que je ne le sois. Un
homme comme moi ne peut demeurer qu'à la Cour. Il n'est
en considération, il n'est en état de pouvoir se venger de ses
115 envieux qu'autant qu'il se rend agréable au prince, et qu'il
cultive l'amitié de ceux qui gouvernent les affaires.

ARLEQUIN.   J'aimerais mieux cultiver un bon champ, cela

---

1. *À la franquette :* franchement, simplement.

rapporte toujours peu ou prou[1], et je me doute que l'amitié de ces gens-là n'est pas aisée à avoir ni à garder.

120 LE SEIGNEUR. Vous avez raison dans le fond : ils ont quelquefois des caprices fâcheux, mais on n'oserait s'en ressentir[2], on les ménage, on est souple avec eux, parce que c'est par leur moyen que vous vous vengez des autres.

ARLEQUIN. Quel trafic ! C'est justement recevoir des coups
125 de bâton d'un côté, pour avoir le privilège d'en donner d'un autre ; voilà une drôle de vanité ! À vous voir si humbles, vous autres, on ne croirait jamais que vous êtes si glorieux.

LE SEIGNEUR. Nous sommes élevés là-dedans. Mais écoutez ; vous n'aurez point de peine à me remettre en
130 faveur ; car vous connaissez bien Flaminia ?

ARLEQUIN. Oui, c'est mon intime.

LE SEIGNEUR. Le prince a beaucoup de bienveillance pour elle ; elle est la fille d'un de ses officiers ; et je me suis imaginé de lui faire sa fortune en la mariant à un petit-cousin
135 que j'ai à la campagne, que je gouverne[3] et qui est riche. Dites-le au prince ; mon dessein me conciliera ses bonnes grâces.

ARLEQUIN. Oui ; mais ce n'est pas là le chemin des miennes ; car je n'aime point qu'on épouse mes amies, moi,
140 et vous n'imaginez rien qui vaille avec votre petit-cousin.

LE SEIGNEUR. Je croyais...

ARLEQUIN. Ne croyez plus.

LE SEIGNEUR. Je renonce à mon projet.

ARLEQUIN. N'y manquez pas ; je vous promets mon
145 intercession, sans que le petit-cousin s'en mêle.

---

1. *Peu ou prou* : plus ou moins (expression familière au XVIIIe siècle).
2. *S'en ressentir* : en garder le souvenir désagréable (voir le nom « ressentiment »).
3. *Que je gouverne* : dont je dispose, sur lequel j'exerce une autorité.

LE SEIGNEUR.   Je vous aurai beaucoup d'obligation ; j'attends l'effet de vos promesses. Adieu, Monsieur Arlequin.

ARLEQUIN.   Je suis votre serviteur. Diantre ! je suis en crédit, car on fait ce que je veux. Il ne faut rien dire à Flaminia du
150 cousin.

SCÈNE 8.   ARLEQUIN, FLAMINIA.

FLAMINIA *arrive*.   Mon cher, je vous amène Silvia ; elle me suit.

ARLEQUIN.   Mon amie, vous deviez bien venir m'avertir plus tôt ; nous l'aurions attendue en causant ensemble.
Silvia arrive.

SCÈNE 9.   SILVIA, ARLEQUIN, FLAMINIA.

SILVIA.   Bonjour, Arlequin. Ah ! que je viens d'essayer un bel habit ! Si vous me voyiez, en vérité, vous me trouveriez jolie ; demandez à Flaminia. Ah ! ah ! si je portais ces habits-là, les femmes d'ici seraient bien attrapées ; elles ne diraient
5 pas que j'ai l'air gauche. Oh ! que les ouvrières d'ici sont habiles !

ARLEQUIN.   Ah ! m'amour ! elles ne sont pas si habiles que vous êtes bien faite.

SILVIA.   Si je suis bien faite, Arlequin, vous n'êtes pas moins
10 honnête.

FLAMINIA.   Du moins ai-je le plaisir de vous voir un peu plus contents à présent.

SILVIA.   Eh ! dame, puisqu'on ne nous gêne plus, j'aime

87

autant être ici qu'ailleurs ; qu'est-ce que cela fait d'être là ou
15 là ? On s'aime partout.

ARLEQUIN.   Comment, nous gêner ! On envoie des gens
me demander pardon pour la moindre impertinence qu'ils
disent de moi.

SILVIA, *d'un air content.*   J'attends une dame aussi, moi, qui
20 viendra devant moi se repentir de ne m'avoir pas trouvée
belle.

FLAMINIA.   Si quelqu'un vous fâche dorénavant, vous n'avez
qu'à m'en avertir.

ARLEQUIN.   Pour cela, Flaminia nous aime comme si nous
25 étions frère et sœurs. *(Il dit cela à Flaminia.)* Aussi, de notre
part, c'est queussi queumi[1].

SILVIA.   Devinez, Arlequin, qui j'ai encore rencontré ici ?
Mon amoureux qui venait me voir chez nous, ce grand
monsieur si bien tourné. Je veux que vous soyez amis
30 ensemble, car il a bon cœur aussi.

ARLEQUIN, *d'un air négligent.*   À la bonne heure ; je suis de
tous bons accords[2].

SILVIA.   Après tout, quel mal y a-t-il qu'il me trouve à son
gré ? Prix pour prix, les gens qui nous aiment sont de
35 meilleure compagnie que ceux qui ne se soucient pas de nous,
n'est-il pas vrai ?

FLAMINIA.   Sans doute.

ARLEQUIN, *gaiement.*   Mettons encore Flaminia, elle se soucie
de nous, et nous serons partie carrée[3].

40 FLAMINIA.   Arlequin, vous me donnez là une marque d'amitié
que je n'oublierai point.

---

1. *Queussi queumi :* expression populaire pour dire « pareil ».
2. *Je suis de tous bons accords :* je suis de tous les bons accords,
je prends part à tous les bons arrangements.
3. *Partie carrée :* partie de plaisir entre deux hommes et deux femmes.

ARLEQUIN.   Ah ça ! puisque nous voilà ensemble, allons faire collation ; cela amuse.

SILVIA.   Allez, allez, Arlequin ; à cette heure que[1] nous nous
45 voyons quand nous voulons, ce n'est pas la peine de nous ôter notre liberté à nous-mêmes ; ne vous gênez point.
Arlequin fait signe à Flaminia de venir.

FLAMINIA, *sur son geste, dit.*   Je m'en vais avec vous ; aussi bien, voilà quelqu'un qui entre et qui tiendra compagnie à Silvia.

SCÈNE 10.   LISETTE *entre avec quelques femmes pour témoins de ce qu'elle va faire, et qui restent derrière,* SILVIA. *Lisette fait de grandes révérences.*

SILVIA, *d'un air un peu piqué.*   Ne faites point tant de révérences, Madame ; cela m'exemptera de vous en faire ; je m'y prends de si mauvaise grâce, à votre fantaisie !

LISETTE, *d'un ton triste.*   On ne vous trouve que trop de
5 mérite.

SILVIA.   Cela se passera. Ce n'est pas moi qui ai envie de plaire, telle que vous me voyez ; il me fâche assez d'être si jolie, et que vous ne soyez pas assez belle.

LISETTE.   Ah ! quelle situation !

10 SILVIA.   Vous soupirez à cause d'une petite villageoise, vous êtes bien de loisir[2] ; et où avez-vous mis votre langue de tantôt, Madame ? Est-ce que vous n'avez plus de caquet quand il faut bien dire ?

---

1. *À cette heure que* : à cette heure où.
2. *Vous êtes bien de loisir* : vous avez bien du temps à perdre, vous vous occupez de ce qui ne vous regarde pas.

LISETTE.   Je ne puis me résoudre à parler.

15   SILVIA.   Gardez donc le silence ; car lorsque vous vous lamenteriez jusqu'à demain, mon visage n'empirera pas ; beau ou laid, il restera comme il est. Qu'est-ce que vous me voulez ? Est-ce que vous ne m'avez pas assez querellée ? Eh bien ! achevez, prenez-en votre suffisance.

20   LISETTE.   Épargnez-moi, Mademoiselle ; l'emportement que j'ai eu contre vous a mis toute ma famille dans l'embarras ; le prince m'oblige à venir vous faire une réparation, et je vous prie de la recevoir sans me railler.

SILVIA.   Voilà qui est fini, je ne me moquerai plus de vous ;
25   je sais bien que l'humilité n'accommode pas les glorieux, mais la rancune donne de la malice. Cependant je plains votre peine, et je vous pardonne. De quoi aussi vous avisiez-vous de me mépriser ?

LISETTE.   J'avais cru m'apercevoir que le prince avait quelque
30   inclination pour moi et je ne croyais pas en être indigne ; mais je vois bien que ce n'est pas toujours aux agréments qu'on se rend.

SILVIA, *d'un ton vif*.   Vous verrez que c'est à la laideur et à la mauvaise façon, à cause qu'on se rend à moi[1]. Comme ces
35   jalouses ont l'esprit tourné !

LISETTE.   Eh bien ! oui, je suis jalouse, il est vrai ; mais puisque vous n'aimez pas le prince, aidez-moi à le remettre dans les dispositions où j'ai cru qu'il était pour moi ; il est sûr que je ne lui déplaisais pas, et je le guérirai de l'inclination
40   qu'il a pour vous, si vous me laissez faire.

SILVIA, *d'un air piqué*.   Croyez-moi, vous ne le guérirez de rien ; mon avis est que cela vous passe.

---

1. *Vous verrez ... à moi :* vous verrez qu'on se rend à moi à cause de ma laideur et de mes mauvaises manières.

LISETTE.   Cependant cela me paraît possible ; car enfin je
ne suis ni maladroite ni désagréable.

45 SILVIA.   Tenez, tenez, parlons d'autre chose ; vos bonnes
qualités m'ennuient.

LISETTE.   Vous me répondez d'une étrange manière ! Quoi
qu'il en soit, avant qu'il soit quelques jours[1], nous verrons si
j'ai si peu de pouvoir.

50 SILVIA, *vivement*.   Oui, nous verrons des balivernes. Pardi ! je
parlerai au prince ; il n'a pas encore osé me parler, lui, à
cause que je suis trop fâchée ; mais je lui ferai dire qu'il
s'enhardisse, seulement pour voir.

LISETTE.   Adieu, Mademoiselle ; chacune de nous fera ce
55 qu'elle pourra. J'ai satisfait à[2] ce qu'on exigeait de moi à
votre égard, et je vous prie d'oublier tout ce qui s'est passé
entre nous.

SILVIA, *brusquement*.   Marchez, marchez, je ne sais pas
seulement si vous êtes au monde.

SCÈNE 11.   SILVIA, FLAMINIA *arrive.*

FLAMINIA.   Qu'avez-vous, Silvia ? Vous êtes bien émue !

SILVIA.   J'ai... que je suis en colère. Cette impertinente
femme de tantôt[3] est venue pour me demander pardon ; et,
sans faire semblant de rien, voyez la méchanceté, elle m'a
5 encore fâchée, m'a dit que c'était à ma laideur qu'on se
rendait ; qu'elle était plus agréable, plus adroite que moi ;

---

1. *Avant qu'il soit quelques jours :* avant quelques jours.
2. *J'ai satisfait à :* j'ai fait.
3. *Tantôt :* ici, « tout à l'heure » (« tantôt » désigne un temps proche,
passé ou futur). Voir aussi p. 105, l. 1.

qu'elle ferait bien passer l'amour du prince ; qu'elle allait
travailler pour cela ; que je verrai... pati, pata ; que sais-je,
moi, tout ce qu'elle mit en avant contre mon visage ! Est-ce
10 que je n'ai pas raison d'être piquée ?

FLAMINIA, *d'un air vif et d'intérêt.*   Écoutez ; si vous ne faites
taire tous ces gens-là, il faut vous cacher pour toute votre vie.

SILVIA.   Je ne manque pas de bonne volonté ; mais c'est
Arlequin qui m'embarrasse.

15 FLAMINIA.   Eh ! je vous entends ; voilà un amour aussi mal
placé, qui se rencontre là aussi mal à propos qu'il se puisse.

SILVIA.   Oh ! j'ai toujours eu du guignon dans les rencontres.

FLAMINIA.   Mais si Arlequin vous voit sortir de la Cour et
méprisée, pensez-vous que cela le réjouisse ?

Flaminia (Sylvie Gentil) et Silvia (Bernadette Le Saché).
Mise en scène de Jacques Rosner,
assisté de Claude Risac. Bouffes du Nord, 1976.

92

20 SILVIA.   Il ne m'aimera pas tant, voulez-vous dire ?

FLAMINIA.   Il y a tout à craindre.

SILVIA.   Vous me faites rêver à une chose : ne trouvez-vous
pas qu'il est un peu négligent depuis que nous sommes ici ?
il m'a quittée tantôt pour aller goûter ; voilà une belle
25 excuse !

FLAMINIA.   Je l'ai remarqué comme vous ; mais ne me
trahissez pas au moins ; nous nous parlons de fille à fille.
Dites-moi, après tout, l'aimez-vous tant, ce garçon ?

SILVIA, *d'un air indifférent.*   Mais vraiment, oui, je l'aime ; il
30 le faut bien.

FLAMINIA.   Voulez-vous que je vous dise ? Vous me paraissez
mal assortis ensemble. Vous avez du goût, de l'esprit, l'air
fin et distingué ; il a l'air pesant, les manières grossières ;
cela ne cadre point et je ne comprends pas comment vous
35 l'avez aimé ; je vous dirai même que cela vous fait tort.

SILVIA.   Mettez-vous à ma place. C'était le garçon le plus
passable de nos cantons ; il demeurait dans mon village ; il
était mon voisin ; il est assez facétieux, je suis de bonne
humeur ; il me faisait quelquefois rire ; il me suivait
40 partout ; il m'aimait ; j'avais coutume de le voir, et de
coutume en coutume je l'ai aimé aussi, faute de mieux ; mais
j'ai toujours bien vu qu'il était enclin au vin et à la
gourmandise.

FLAMINIA.   Voilà de jolies vertus, surtout dans l'amant de
45 l'aimable et tendre Silvia ! Mais à quoi vous déterminez-vous
donc ?

SILVIA.   Je ne puis que dire[1] ; il me passe tant de oui et de
non par la tête, que je ne sais auquel entendre[2]. D'un côté,

---

1. *Je ne puis que dire* : je ne sais quoi dire.
2. *Auquel entendre* : à quoi donner mon consentement.

Arlequin est un petit négligent qui ne songe ici qu'à manger ;
50 d'un autre côté, si l'on me renvoie, ces glorieuses de femmes
feront accroire[1] partout qu'on m'aura dit : « Va-t'en, tu n'es
pas assez jolie. » D'un autre côté, ce monsieur que j'ai
retrouvé ici...

FLAMINIA.   Quoi ?

55 SILVIA.   Je vous le dis en secret ; je ne sais ce qu'il m'a fait
depuis que je l'ai revu ; mais il m'a toujours paru si doux, il
m'a dit des choses si tendres, il m'a conté son amour d'un
air si poli, si humble, que j'en ai une véritable pitié, et cette
pitié-là m'empêche encore d'être maîtresse de moi.

60 FLAMINIA.   L'aimez-vous ?

SILVIA.   Je ne crois pas ; car je dois aimer Arlequin.

FLAMINIA.   C'est un homme aimable.

SILVIA.   Je le sens bien.

FLAMINIA.   Si vous négligiez de vous venger pour l'épouser,
65 je vous le pardonnerais ; voilà la vérité.

SILVIA.   Si Arlequin se mariait à une autre fille que moi, à
la bonne heure. Je serais en droit de lui dire : « Tu m'as
quittée, je te quitte, je prends ma revanche » ; mais il n'y a
rien à faire. Qui est-ce qui voudrait d'Arlequin ici, rude et
70 bourru[2] comme il est ?

FLAMINIA.   Il n'y a pas presse, entre nous[3]. Pour moi, j'ai
toujours eu dessein de passer ma vie aux champs ; Arlequin
est grossier ; je ne l'aime point, mais je ne le hais pas ; et,
dans les sentiments où je suis, s'il voulait, je vous en
75 débarrasserais volontiers pour vous faire plaisir.

---

1. *Feront accroire* : feront croire.
2. *Bourru* : bizarre, extravagant.
3. *Il n'y a ... nous* : nous pouvons parler sans contrainte.

SILVIA.   Mais mon plaisir, où est-il ? il n'est ni là, ni là ; je le cherche.

FLAMINIA.   Vous verrez le prince aujourd'hui. Voici ce cavalier qui vous plaît ; tâchez de prendre votre parti. Adieu,
80 nous nous retrouverons tantôt.

SCÈNE 12.   SILVIA, LE PRINCE *qui entre.*

SILVIA.   Vous venez ; vous allez encore me dire que vous m'aimez, pour me mettre davantage en peine.

LE PRINCE.   Je venais voir si la dame qui vous a fait insulte s'était bien acquittée de son devoir. Quant à moi, belle Silvia,
5 quand mon amour vous fatiguera, quand je vous déplairai moi-même, vous n'avez qu'à m'ordonner de me taire et de me retirer ; je me tairai, j'irai où vous voudrez, et je souffrirai sans me plaindre, résolu de[1] vous obéir en tout.

SILVIA.   Ne voilà-t-il pas ? Ne l'ai-je pas bien dit ? Comment
10 voulez-vous que je vous renvoie ? Vous vous tairez, s'il me plaît ; vous vous en irez, s'il me plaît ; vous n'oserez pas vous plaindre, vous m'obéirez en tout. C'est bien là le moyen de faire que je vous commande quelque chose !

LE PRINCE.   Mais que puis-je mieux que de vous rendre
15 maîtresse de mon sort ?

SILVIA.   Qu'est-ce que cela avance ? Vous rendrai-je malheureux ? en aurai-je le courage ? Si je vous dis : « Allez-vous-en », vous croirez que je vous hais ; si je vous dis de

---

1. *Résolu de :* décidé à.

vous taire, vous croirez que je ne me soucie pas de vous ; et
20 toutes ces croyances-là ne seront pas vraies ; elles vous
affligeront ; en serai-je plus à mon aise après ?

LE PRINCE.   Que voulez-vous donc que je devienne, belle
Silvia ?

SILVIA.   Oh ! ce que je veux ! j'attends qu'on me le dise ;
25 j'en suis encore plus ignorante que vous : voilà Arlequin qui
m'aime ; voilà le prince qui demande mon cœur ; voilà vous
qui méritez de l'avoir ; voilà ces femmes qui m'injurient et
que je voudrais punir ; voilà que j'aurai un affront, si je
n'épouse pas le prince ; Arlequin m'inquiète ; vous me donnez
30 du souci, vous m'aimez trop ; je voudrais ne vous avoir
jamais connu, et je suis bien malheureuse d'avoir tout ce
tracas-là dans la tête.

LE PRINCE.   Vos discours me pénètrent, Silvia. Vous êtes
trop touchée de ma douleur ; ma tendresse, toute grande
35 qu'elle est, ne vaut pas le chagrin que vous avez de ne
pouvoir m'aimer.

SILVIA.   Je pourrais bien vous aimer ; cela ne serait pas si
difficile, si je voulais.

LE PRINCE.   Souffrez donc que je m'afflige, et ne m'empêchez
40 pas de vous regretter toujours.

SILVIA, *comme impatiente*. Je vous en avertis, je ne saurais
supporter de vous voir si tendre ; il semble que vous le fassiez
exprès. Y a-t-il de la raison à cela ? Pardi ! j'aurai moins de
mal à vous aimer tout à fait qu'à être comme je le suis. Pour
45 moi, je laisserai tout là, voilà ce que vous gagnerez.

LE PRINCE.   Je ne veux donc plus vous être à charge ; vous
souhaitez que je vous quitte ; je ne dois pas résister aux
volontés d'une personne si chère. Adieu, Silvia.

SILVIA, *vivement*. Adieu, Silvia ! Je vous querellerais
50 volontiers ; où allez-vous ? Restez là, c'est ma volonté ; je le
sais mieux que vous, peut-être.

LE PRINCE.   J'ai cru vous obliger.

SILVIA.   Quel train que tout cela ! Que faire d'Arlequin ?
Encore si c'était vous qui fût[1] le prince !

55 LE PRINCE.   Et quand je le serais ?

SILVIA.   Cela serait différent, parce que je dirais à Arlequin
que vous prétendriez être le maître ; ce serait mon excuse ;
mais il n'y a que pour vous que je voudrais prendre cette
excuse-là.

60 LE PRINCE, à part.   Qu'elle est aimable ! il est temps de dire
qui je suis.

SILVIA.   Qu'avez-vous ? est-ce que je vous fâche ? Ce n'est
pas à cause de la principauté que je voudrais que vous fussiez
prince, c'est seulement à cause de vous tout seul ; et si vous
65 l'étiez, Arlequin ne saurait pas que je vous prendrais par
amour ; voilà ma raison. Mais non, après tout, il vaut mieux
que vous ne soyez pas le maître ; cela me tenterait trop. Et
quand vous le seriez, tenez, je ne pourrais me résoudre à être
une infidèle ; voilà qui est fini.

70 LE PRINCE, à part les premiers mots.   Différons encore de
l'instruire. Silvia, conservez-moi seulement les bontés que vous
avez pour moi. Le prince vous a fait préparer un spectacle ;
permettez que je vous y accompagne et que je profite de
toutes les occasions d'être avec vous. Après la fête, vous
75 verrez le prince ; et je suis chargé de vous dire que vous
serez libre de vous retirer, si votre cœur ne vous dit rien
pour lui.

SILVIA.   Oh ! il ne me dira pas un mot ; c'est tout comme
si j'étais partie ; mais quand je serai chez nous, vous y
80 viendrez ; eh ! que sait-on ce qui peut arriver ? peut-être que
vous m'aurez. Allons-nous-en toujours, de peur qu'Arlequin
ne vienne.

---

1. *Qui fût :* accord fautif pour « fussiez ».

Ensemble de l'acte II

Dans la version initiale de la pièce, le prince révélait son identité à Silvia, et celle-ci acceptait son amour dès la fin de l'acte II : les jeux étaient alors déjà faits ; l'acte III semblait moins crédible et perdait de son intérêt. *Le Nouveau Mercure,* gazette littéraire de l'époque, critiquait ce défaut de construction dramatique dès la première représentation de *la Double Inconstance* et indiquait la présence de « quelques scènes postiches dans le troisième acte ». Le texte définitif présente un acte II plus subtil où les amorces de l'inconstance sont seulement indiquées.

LA MISE À L'ÉPREUVE DE L'AMOUR

Les personnages de Silvia et d'Arlequin vont changer au contact de la Cour : ils seront gagnés par des préoccupations nouvelles qui les mèneront vers d'autres sentiers amoureux.

1. Quels sont les sentiments et les comportements de Silvia qui la prédisposent peu à peu à devenir une dame de la Cour parmi les autres (fin de la sc. 1, sc. 2, 9, 10, 11) ?

2. Montrez comment Arlequin semble moins fâché d'être au palais. Quels agréments y trouve-t-il (sc. 5 et 9 par exemple) ?

3. Par quels moyens Flaminia gagne-t-elle la sympathie d'Arlequin ?

4. Le jeu des forces évolue dans cet acte : montrez que les deux camps ne sont pas distribués de la même façon qu'à l'acte précédent. À quel moment et de quelle façon Flaminia change-t-elle de comportement ? Dans quel camp peut-on classer Lisette et Trivelin à la fin de l'acte ?

JEUX D'APPARENCES ET SINCÉRITÉ

5. Repérez et classez ce qui, dans cet acte, relève de la critique des apparences : dans les domaines de la mondanité, des sentiments amoureux, etc.

6. En quoi ces scènes défendent-elles la sincérité de l'amour, mais aussi des valeurs aristocratiques et le jeu de la Cour ? À cet égard, définissez la fonction du travestissement du prince. Qu'imaginez-vous des réactions et du plaisir du spectateur lorsque apparaît incognito le prince travesti ?

Acte III

SCÈNE PREMIÈRE. LE PRINCE, FLAMINIA.

FLAMINIA.   Oui, seigneur, vous avez fort bien fait de ne pas
vous découvrir tantôt, malgré tout ce que Silvia vous a dit
de tendre ; ce retardement ne gâte rien et lui laisse le temps
de se confirmer dans le penchant qu'elle a pour vous. Grâces
5 au ciel, vous voilà presque arrivé où vous souhaitiez.

LE PRINCE.   Ah ! Flaminia, qu'elle est aimable !

FLAMINIA.   Elle l'est infiniment.

LE PRINCE.   Je ne connais rien[1] comme elle, parmi les gens
du monde. Quand une maîtresse, à force d'amour, nous dit
10 clairement : « Je vous aime », cela fait assurément un grand
plaisir. Eh bien, Flaminia, ce plaisir-là, imaginez-vous qu'il
n'est que fadeur, qu'il n'est qu'ennui, en comparaison du
plaisir que m'ont donné les discours de Silvia, qui ne m'a
pourtant point dit : « Je vous aime. »

15 FLAMINIA.   Mais, seigneur, oserais-je vous prier de m'en
répéter quelque chose ?

LE PRINCE.   Cela est impossible ; je suis ravi, je suis
enchanté ; je ne peux pas vous répéter cela autrement.

FLAMINIA.   Je présume beaucoup du rapport singulier que
20 vous m'en faites.

LE PRINCE.   Si vous saviez combien, dit-elle, elle est affligée
de ne pouvoir m'aimer, parce que cela me rend malheureux
et qu'elle doit être fidèle à Arlequin !... J'ai vu le moment

---

1. *Rien :* ici, personne (style précieux, voir « préciosité » p. 174).

99

où elle allait me dire : « Ne m'aimez plus, je vous prie, parce
25 que vous seriez cause que je vous aimerais aussi. »

FLAMINIA.   Bon ! cela vaut mieux qu'un aveu.

LE PRINCE.   Non, je le dis encore, il n'y a que l'amour de
Silvia qui soit véritablement de l'amour. Les autres femmes
qui aiment ont l'esprit cultivé ; elles ont une certaine éducation,
30 un certain usage ; et tout cela chez elles falsifie la nature. Ici
c'est le cœur tout pur qui me parle ; comme ses sentiments
viennent, il me les montre ; sa naïveté en fait tout l'art, et
sa pudeur toute la décence. Vous m'avouerez que tout cela
est charmant. Tout ce qui la retient à présent, c'est qu'elle
35 se fait un scrupule de m'aimer sans l'aveu d'Arlequin. Ainsi,
Flaminia, hâtez-vous. Sera-t-il bientôt gagné, Arlequin ? Vous
savez que je ne dois ni ne veux le traiter avec violence. Que
dit-il ?

FLAMINIA.   À vous dire le vrai, seigneur, je le crois tout à
40 fait amoureux de moi ; mais il n'en sait rien. Comme il ne
m'appelle encore que sa chère amie, il vit sur la bonne foi
de ce nom qu'il me donne, et prend toujours de l'amour à
bon compte.

LE PRINCE.   Fort bien.

45 FLAMINIA.   Oh ! dans la première conversation, je l'instruirai
de l'état de ses petites affaires avec moi ; et ce penchant qui
est incognito chez lui et que je lui ferai sentir par un autre
stratagème, la douceur avec laquelle vous lui parlerez, comme
nous en sommes convenus, tout cela, je pense, va vous tirer
50 d'inquiétude, et terminer mes travaux, dont je sortirai, seigneur,
victorieuse et vaincue.

LE PRINCE.   Comment donc ?

FLAMINIA.   C'est une petite bagatelle qui ne mérite pas de
vous être dite ; c'est que j'ai pris du goût pour Arlequin,
55 seulement pour me désennuyer dans le cours de notre intrigue.
Mais retirons-nous, et rejoignez Silvia ; il ne faut pas qu'Arlequin
vous voie encore, et je le vois qui vient.
Ils se retirent tous deux.

SCÈNE 2. TRIVELIN, ARLEQUIN *entre d'un air sombre.*

TRIVELIN, *après quelque temps.* Eh bien ! que voulez-vous que je fasse de l'écritoire et du papier que vous m'avez fait prendre ?

ARLEQUIN. Donnez-vous patience[1], mon domestique.

5 TRIVELIN. Tant qu'il vous plaira.

ARLEQUIN. Dites-moi, qui est-ce qui me nourrit ici ?

TRIVELIN. C'est le prince.

ARLEQUIN. Par la sambille ! la bonne chère que je fais me donne des scrupules.

10 TRIVELIN. D'où vient donc[2] ?

ARLEQUIN. Mardi ! j'ai peur d'être en pension sans le savoir.

TRIVELIN, *riant.* Ah ! ah ! ah ! ah !

ARLEQUIN. De quoi riez-vous, grand benêt ?

15 TRIVELIN. Je ris de votre idée, qui est plaisante ; allez, allez, seigneur Arlequin, manger en toute sûreté de conscience et buvez de même.

ARLEQUIN. Dame ! je prends mes repas dans la bonne foi ; il me serait bien rude de me voir apporter le mémoire 20 de ma dépense ; mais je vous crois. Dites-moi, à présent, comment s'appelle celui qui rend compte au prince de ses affaires ?

TRIVELIN. Son secrétaire d'État, voulez-vous dire ?

ARLEQUIN. Oui ; j'ai dessein de lui faire un écrit pour le 25 prier d'avertir le prince que je m'ennuie, et lui demander quand il veut en finir avec nous ; car mon père est tout seul.

---

1. *Donnez-vous patience* : prenez patience, attendez sans vous inquiéter.
2. *D'où vient donc* : pourquoi.

TRIVELIN.   Eh bien ?

ARLEQUIN.   Si on veut me garder, il faut lui envoyer une carriole, afin qu'il vienne.

30 TRIVELIN.   Vous n'avez qu'à parler, la carriole partira sur-le-champ.

ARLEQUIN.   Il faut, après cela, qu'on nous marie, Silvia et moi, et qu'on m'ouvre la porte de la maison ; car j'ai coutume de trotter partout et d'avoir la clef des champs, moi. Ensuite

35 nous tiendrons ici ménage avec l'amie Flaminia, qui ne veut pas nous quitter à cause de son affection pour nous ; et si le prince a toujours bonne envie de nous régaler, ce que je mangerai me profitera davantage.

TRIVELIN.   Mais, seigneur Arlequin, il n'est pas besoin de

40 mêler Flaminia là-dedans.

ARLEQUIN.   Cela me plaît, à moi.

TRIVELIN, *d'un air mécontent.*   Hum !

ARLEQUIN, *le contrefaisant.*   Hum ! le mauvais valet ! Allons vite, tirez votre plume, et griffonnez-moi mon écriture.

45 TRIVELIN, *se mettant en état.*   Dictez.

ARLEQUIN.   « Monsieur. »

TRIVELIN.   Halte-là ! dites : « Monseigneur. »

ARLEQUIN.   Mettez les deux, afin qu'il choisisse.

TRIVELIN.   Fort bien.

50 ARLEQUIN.   « Vous saurez que je m'appelle Arlequin. »

TRIVELIN.   Doucement ! vous devez dire : « Votre Grandeur saura. »

ARLEQUIN.   « Votre Grandeur saura ! » C'est donc un géant, ce secrétaire d'État ?

55 TRIVELIN.   Non ; mais n'importe[1].

---

1. *N'importe :* qu'importe.

ARLEQUIN.   Quel diantre de galimatias[1] ! Qui a jamais entendu dire qu'on s'adresse à la taille d'un homme quand on a affaire à lui ?

TRIVELIN, *écrivant*.   Je mettrai comme il vous plaira. « Vous
60 saurez que je m'appelle Arlequin. » Après ?

ARLEQUIN.   « Que j'ai une maîtresse qui s'appelle Silvia, bourgeoise de mon village et fille d'honneur... »

TRIVELIN, *écrivant*.   Courage !

ARLEQUIN.   « ... avec une bonne amie que j'ai faite depuis
65 peu, qui ne saurait se passer de nous, ni nous d'elle ; ainsi, aussitôt la présente reçue... »

TRIVELIN, *s'arrêtant comme affligé*.   Flaminia ne saurait se passer de vous ? Aïe ! la plume me tombe des mains.

ARLEQUIN.   Oh ! oh ! que signifie cette impertinente
70 pâmoison[2]-là ?

TRIVELIN.   Il y a deux ans, seigneur Arlequin, il y a deux ans que je soupire en secret pour elle.

ARLEQUIN, *tirant sa latte*.   Cela est fâcheux, mon mignon ; mais, en attendant qu'elle en soit informée, je vais vous en
75 faire quelques remerciements pour elle.

TRIVELIN.   Des remerciements à coups de bâton ! je ne suis pas friand de ces compliments-là. Eh ! que vous importe que je l'aime ? Vous n'avez que de l'amitié pour elle, et l'amitié ne rend point jaloux.

80 ARLEQUIN.   Vous vous trompez, mon amitié fait tout comme l'amour ; en voilà des preuves.

Il le bat.

TRIVELIN *s'enfuit en disant*.   Oh ! diable soit de l'amitié !

---

1. *Galimatias :* discours confus, inintelligible.
2. *Pâmoison :* trouble profond causé par un sentiment violent.

103

SCÈNE 3. FLAMINIA *arrive,* ARLEQUIN.

FLAMINIA, *à Arlequin.*   Qu'est-ce que c'est ? Qu'avez-vous, Arlequin ?

ARLEQUIN.   Bonjour, m'amie ; c'est ce faquin[1] qui dit qu'il vous aime depuis deux ans.

5 FLAMINIA.   Cela se peut bien.

ARLEQUIN.   Et vous, m'amie, que dites-vous de cela ?

FLAMINIA.   Que c'est tant pis pour lui.

ARLEQUIN.   Tout de bon ?

FLAMINIA.   Sans doute ; mais est-ce que vous seriez fâché
10 que l'on m'aimât ?

ARLEQUIN.   Hélas ! vous êtes votre maîtresse ; mais si vous aviez un amant, vous l'aimeriez peut-être ; cela gâterait la bonne amitié que vous me portez, et vous m'en feriez ma part plus petite. Oh ! de cette part-là, je n'en voudrais rien
15 perdre.

FLAMINIA, *d'un air doux.*   Arlequin, savez-vous bien que vous ne ménagez pas mon cœur ?

ARLEQUIN.   Moi ! et quel mal lui fais-je donc ?

FLAMINIA.   Si vous continuez de me parler toujours de
20 même, je ne saurai plus bientôt de quelle espèce seront mes sentiments pour vous. En vérité je n'ose m'examiner là-dessus : j'ai peur de trouver plus que je ne veux.

ARLEQUIN.   C'est bien fait, n'examinez jamais, Flaminia ; cela sera ce que cela pourra ; au reste, croyez-moi, ne prenez
25 point d'amant ; j'ai une maîtresse, je la garde ; si je n'en avais point, je n'en chercherais pas ; qu'en ferais-je avec vous ? Elle m'ennuierait.

---

1. *Faquin :* homme de peu de valeur, sottement vaniteux.

FLAMINIA.   Elle vous ennuierait ! Le moyen, après tout ce que vous dites, de rester votre amie ?

30 ARLEQUIN.   Eh ! que serez-vous donc ?

FLAMINIA.   Ne me le demandez pas, je n'en veux rien savoir ; ce qui est de sûr, c'est que dans le monde je n'aime plus que vous. Vous n'en pouvez pas dire autant ; Silvia va devant moi, comme de raison.

35 ARLEQUIN.   Chut ! vous allez de compagnie ensemble.

FLAMINIA.   Je vais vous l'envoyer si je la trouve, Silvia ; en serez-vous bien aise ?

ARLEQUIN.   Comme vous voudrez ; mais il ne faut pas l'envoyer ; il faut venir toutes deux.

40 FLAMINIA.   Je ne pourrai pas ; car le prince m'a mandée et je vais voir ce qu'il me veut. Adieu, Arlequin ; je serai bientôt de retour.

En sortant, elle sourit à celui qui entre.

SCÈNE 4.   LE SEIGNEUR *du second acte apporte à* ARLEQUIN *ses lettres de noblesse.*

ARLEQUIN, *le voyant.*   Voilà mon homme de tantôt. Ma foi ! Monsieur le médisant (car je ne sais point votre autre nom), je n'ai rien dit de vous au prince, par la raison que je ne l'ai point vu.

5 LE SEIGNEUR.   Je vous suis obligé de votre bonne volonté, seigneur Arlequin ; mais je suis sorti d'embarras et rentré dans les bonnes grâces du prince, sur l'assurance que je lui ai donnée que vous lui parleriez pour moi ; j'espère qu'à votre tour vous me tiendrez parole.

10 ARLEQUIN.   Oh ! quoique je paraisse un innocent, je suis homme d'honneur.

LE SEIGNEUR.   De grâce, ne vous ressouvenez plus de rien

et réconciliez-vous avec moi en faveur du présent que je vous
apporte de la part du prince ; c'est de tous les présents le
15 plus grand qu'on puisse vous faire.

ARLEQUIN.   Est-ce Silvia que vous m'apportez ?

LE SEIGNEUR.   Non, le présent dont il s'agit est dans ma
poche : ce sont des lettres de noblesse dont le prince vous
gratifie comme parent de Silvia ; car on dit que vous l'êtes
20 un peu.

ARLEQUIN.   Pas un brin[1] ; remportez cela ; car, si je le
prenais, ce serait friponner la gratification[2].

LE SEIGNEUR.   Acceptez toujours ; qu'importe ? Vous ferez
plaisir au prince. Refuseriez-vous ce qui fait l'ambition de
25 tous les gens de cœur ?

ARLEQUIN.   J'ai pourtant bon cœur aussi. Pour de l'ambition,
j'en ai bien entendu parler ; mais je ne l'ai jamais vue, et
j'en ai peut-être sans le savoir.

LE SEIGNEUR.   Si vous n'en avez pas, cela vous en donnera.

30 ARLEQUIN.   Qu'est-ce que c'est donc ?

LE SEIGNEUR, à part les premiers mots.   En voilà bien d'une
autre[3] ! L'ambition, c'est un noble orgueil de s'élever.

ARLEQUIN.   Un orgueil qui est noble ! Donnez-vous comme
cela de jolis noms à toutes les sottises, vous autres ?

35 LE SEIGNEUR.   Vous ne me comprenez pas ; cet orgueil ne
signifie là qu'un désir de gloire.

ARLEQUIN.   Par ma foi ! sa signification ne vaut pas mieux
que lui, c'est bonnet blanc et blanc bonnet.

LE SEIGNEUR.   Prenez, vous dis-je ; ne serez-vous pas bien
40 aise d'être gentilhomme ?

---

1. *Pas un brin* : pas du tout.
2. *Friponner la gratification* : obtenir la gratification par tromperie, par
fourberie.
3. *En voilà bien d'une autre* : voilà bien autre chose.

ARLEQUIN. Eh ! je n'en serais ni bien aise, ni fâché ; c'est suivant la fantaisie qu'on a.

LE SEIGNEUR. Vous y trouverez de l'avantage ; vous en serez plus respecté et plus craint de vos voisins.

45 ARLEQUIN. J'ai opinion que cela les empêcherait de m'aimer de bon cœur ; car quand je respecte les gens, moi, et que je les crains, je ne les aime pas de si bon courage[1] ; je ne saurais faire tant de choses à la fois.

LE SEIGNEUR. Vous m'étonnez.

50 ARLEQUIN. Voilà comme je suis bâti[2] ; d'ailleurs, voyez-vous, je suis le meilleur enfant du monde, je ne fais de mal à personne ; mais quand je voudrais nuire[3], je n'en ai pas le pouvoir. Eh bien ! si j'avais ce pouvoir, si j'étais noble, diable emporte si je voudrais gager d'être toujours brave homme :
55 je ferais parfois comme le gentilhomme de chez nous, qui n'épargne pas les coups de bâton à cause qu'on n'oserait[4] les lui rendre.

LE SEIGNEUR. Et si on vous donnait ces coups de bâton, ne souhaiteriez-vous pas être en état de les rendre ?

60 ARLEQUIN. Pour cela, je voudrais payer cette dette-là sur-le-champ.

LE SEIGNEUR. Oh ! comme les hommes sont quelquefois méchants, mettez-vous en état de faire du mal, seulement afin qu'on n'ose pas vous en faire, et pour cet effet prenez
65 vos lettres de noblesse.

ARLEQUIN *prend les lettres*. Têtubleu ! vous avez raison, je ne suis qu'une bête. Allons, me voilà noble ; je garde le parchemin ; je ne crains plus que les rats, qui pourraient bien

---

1. *De si bon courage* : de si bon cœur (emploi du XVIIᵉ siècle).
2. *Bâti* : fait.
3. *Quand je voudrais nuire* : si je voulais nuire.
4. *À cause qu'on n'oserait* : parce qu'on n'oserait.

gruger[1] ma noblesse ; mais j'y mettrai bon ordre. Je vous
70 remercie, et le prince aussi ; car il est bien obligeant dans le
fond.

LE SEIGNEUR.   Je suis charmé de vous voir content ; adieu.

ARLEQUIN.   Je suis votre serviteur. *(Quand le seigneur a fait
dix ou douze pas, Arlequin le rappelle.)* Monsieur, monsieur !

75 LE SEIGNEUR.   Que me voulez-vous ?

ARLEQUIN.   Ma noblesse m'oblige-t-elle à rien ? car il faut
faire son devoir dans une charge.

LE SEIGNEUR.   Elle oblige à être honnête homme.

ARLEQUIN, *très sérieusement.*   Vous aviez donc des exemptions,
80 vous, quand vous avez dit du mal de moi ?

LE SEIGNEUR.   N'y songez plus ; un gentilhomme doit être
généreux.

ARLEQUIN.   Généreux et honnête homme ! Vertuchoux[2] !
ces devoirs-là sont bons ; je les trouve encore plus nobles que
85 mes lettres de noblesse. Et quand on ne s'en acquitte pas,
est-on encore gentilhomme ?

LE SEIGNEUR.   Nullement.

ARLEQUIN.   Diantre ! il y a donc bien des nobles qui payent
la taille[3] ?

90 LE SEIGNEUR.   Je n'en sais point le nombre.

ARLEQUIN.   Est-ce là tout ? N'y a-t-il plus d'autre devoir ?

LE SEIGNEUR.   Non ; cependant vous qui, suivant toute
apparence, serez favori du prince, vous aurez un devoir de
plus : ce sera de mériter cette faveur par toute la soumission,
95 tout le respect et toute la complaisance possibles. À l'égard

---

1. *Gruger* : manger, ronger, croquer.
2. *Vertuchoux* : juron burlesque mis pour « vertudieu ».
3. La taille est un impôt que ne payaient pas les nobles, mais ceux
qui dérogeaient (en travaillant) y étaient assujettis.

du reste, comme je vous ai dit, ayez de la vertu, aimez l'honneur plus que la vie, et vous serez dans l'ordre.

ARLEQUIN.   Tout doucement ; ces dernières obligations-là ne me plaisent pas tant que les autres. Premièrement, il est
100 bon d'expliquer ce que c'est que cet honneur qu'on doit aimer plus que la vie. Malepeste, quel honneur ?

LE SEIGNEUR.   Vous approuverez ce que cela veut dire ; c'est qu'il faut se venger d'une injure, ou périr plutôt que de la souffrir.

105 ARLEQUIN.   Tout ce que vous m'avez dit n'est donc qu'un coq-à-l'âne ; car si je suis obligé d'être généreux, il faut que je pardonne aux gens ; si je suis obligé d'être méchant, il faut que je les assomme. Comment donc faire pour tuer le monde et le laisser vivre ?

110 LE SEIGNEUR.   Vous serez généreux et bon, quand on ne vous insultera pas.

ARLEQUIN.   Je vous entends : il m'est défendu d'être meilleur que les autres ; et si je rends le bien pour le mal, je serai donc un homme sans honneur ? Par la mardi ! la méchanceté
115 n'est pas rare ; ce n'était pas la peine de la recommander tant. Voilà une vilaine invention ! Tenez, accommodons-nous plutôt ; quand on me dira une grosse injure, j'en répondrai une autre si je suis le plus fort. Voulez-vous me laisser votre marchandise à ce prix-là ? Dites-moi votre dernier mot.

120 LE SEIGNEUR.   Une injure répondue à une injure ne suffit point. Cela ne peut se laver, s'effacer que par le sang de votre ennemi ou le vôtre.

ARLEQUIN.   Que la tache y reste ! Vous parlez du sang comme si c'était de l'eau de rivière. Je vous rends votre
125 paquet de noblesse ; mon honneur n'est pas fait pour être noble ; il est trop raisonnable pour cela. Bonjour.

LE SEIGNEUR.   Vous n'y songez pas.

ARLEQUIN.   Sans compliment, reprenez votre affaire.

Le Seigneur.   Gardez-le toujours ; vous vous ajusterez avec
130 le prince ; on n'y regardera pas de si près avec vous.

Arlequin, *les reprenant.*   Il faudra donc qu'il me signe un
contrat comme quoi je serai exempt de me faire tuer par
mon prochain, pour le faire repentir de son impertinence avec
moi.

135 Le Seigneur.   À la bonne heure ; vous ferez vos conventions.
Adieu, je suis votre serviteur.

Arlequin.   Et moi le vôtre.

Le seigneur (Robert Murjeau) et Arlequin (Jacques Gamblin).
Mise en scène de Michel Dubois, Comédie de Caen.

Acte II Scène 7 et Acte III Scène 4 : étude comparée

Le personnage du seigneur est un rôle secondaire. Il n'est pas annoncé dans l'acte d'exposition. Sa présence pourrait sembler superflue, cependant il n'apparaît pas dans de simples scènes « de remplissage » qui maintiendraient l'équilibre relatif de la longueur entre les actes. La fonction de ce personnage est importante pour l'ensemble de la pièce.

UNE MISE EN QUESTION DU MILIEU SOCIAL

1. Le seigneur est un homme de cour : dégagez le portrait du courtisan qui apparaît dans ces deux scènes. Vous pourrez le comparer à celui qu'en fait Jean de La Bruyère dans *les Caractères* (1688 à 1696), en lisant la partie intitulée « De la Cour », et plus particulièrement les portraits de Celse (dans « Du mérite personnel »), de Narcisse (dans « De la ville ») et de Straton (dans « De la Cour »).

2. Le personnage d'Arlequin apparaît ici sous deux aspects : relevez les signes de son insolence et de son attitude critique, de sa distance par rapport au seigneur. Soulignez aussi son habileté pour utiliser le courtisan à son profit. En quoi maîtrise-t-il de mieux en mieux les rouages du jeu mondain ?

L'ÉDUCATION POLITIQUE

Une mise en scène de *la Double Inconstance* a mis l'accent sur la signification sociale et politique du texte, annonçant ainsi les œuvres ultérieures de Marivaux.
En 1980, à Paris, Jean-Luc Bouté plaça en première partie de son spectacle la représentation d'un texte tardif de Marivaux : *l'Éducation d'un prince*. Dans cette œuvre qui a la forme d'un dialogue philosophique, un gouverneur propose à son élève des conseils pour régner dans l'univers aristocratique. Ce texte a pu éclairer notamment les deux scènes où le seigneur est présent.

3. Montrez que le rôle du seigneur peut être interprété comme celui d'un précepteur d'Arlequin. Indiquez les contenus politiques et sociaux de cette éducation.

4. Repérez les signes des progrès d'Arlequin entre les deux scènes. Vous observerez ce qui se passe ensuite, à la scène 5 de l'acte III. Montrez qu'Arlequin rappelle le prince à ses devoirs en lui donnant les principes du pouvoir juste et « éclairé ». Arlequin reprend-il exactement les leçons de son maître ou a-t-il exercé son jugement et son bon sens pour les corriger ? Justifiez votre réponse.

SCÈNE 5. LE PRINCE *arrive,* ARLEQUIN.

ARLEQUIN, *le voyant.* Qui diantre vient encore me rendre visite ? Ah ! c'est celui-là qui est cause qu'on m'a pris Silvia. — Vous voilà donc, Monsieur le babillard, qui allez dire partout que la maîtresse des gens est belle ; ce qui fait qu'on
5 m'a escamoté la mienne !

LE PRINCE. Point d'injures, Arlequin.

ARLEQUIN. Êtes-vous gentilhomme, vous ?

LE PRINCE. Assurément.

ARLEQUIN. Mardi ! vous êtes bien heureux ; sans cela je
10 vous dirais de bon cœur ce que vous méritez ; mais votre honneur voudrait peut-être faire son devoir, et, après cela, il faudrait vous tuer pour vous venger de moi.

LE PRINCE. Calmez-vous, je vous prie, Arlequin. Le prince m'a donné ordre de vous entretenir.

15 ARLEQUIN. Parlez, il vous est libre ; mais je n'ai pas ordre de vous écouter, moi.

LE PRINCE. Eh bien ! prends un esprit plus doux, connais-moi, puisqu'il le faut : c'est ton prince lui-même qui te parle, et non pas un officier du palais, comme tu l'as cru jusqu'ici
20 aussi bien que Silvia.

ARLEQUIN. Votre foi ?

LE PRINCE. Tu dois m'en croire.

ARLEQUIN. Excusez, Monseigneur, c'est donc moi qui suis un sot d'avoir été un impertinent avec vous.

25 LE PRINCE. Je te pardonne volontiers.

ARLEQUIN, *tristement.* Puisque vous n'avez pas de rancune contre moi, ne permettez pas que j'en aie contre vous. Je ne suis pas digne d'être fâché contre un prince, je suis trop petit pour cela. Si vous m'affligez, je pleurerai de toute ma force,
30 et puis c'est tout ; cela doit faire compassion à votre

puissance ; vous ne voudriez pas avoir une principauté pour le contentement de vous tout seul.

LE PRINCE.   Tu te plains donc bien de moi, Arlequin ?

ARLEQUIN.   Que voulez-vous, Monseigneur ? j'ai une fille
35 qui m'aime ; vous, vous en avez plein votre maison, et nonobstant[1] vous m'ôtez la mienne. Prenez que je suis pauvre, et que tout mon bien est un liard[2] ; vous qui êtes riche de plus de mille écus, vous vous jetez sur ma pauvreté et vous m'arrachez mon liard ; cela n'est-il pas bien triste ?

40 LE PRINCE, *à part*.   Il a raison, et ses plaintes me touchent.

ARLEQUIN.   Je sais bien que vous êtes un bon prince, tout le monde le dit dans le pays ; il n'y aura que moi qui n'aurai pas le plaisir de le dire comme les autres.

LE PRINCE.   Je te prive de Silvia, il est vrai ; mais demande-
45 moi ce que tu voudras ; je t'offre tous les biens que tu pourras souhaiter, et laisse-moi cette seule personne que j'aime.

ARLEQUIN.   Ne parlons point de ce marché-là, vous gagneriez trop sur moi. Disons en conscience : si un autre que vous me l'avait prise, est-ce que vous ne me la feriez pas
50 remettre ? Eh bien ! personne ne me l'a prise que vous[3] ; voyez la belle occasion de montrer que la justice est pour tout le monde !

LE PRINCE, *à part*.   Que lui répondre ?

ARLEQUIN.   Allons, Monseigneur, dites-vous comme cela :
55 « Faut-il que je retienne le bonheur de ce petit homme parce que j'ai le pouvoir de le garder ? N'est-ce pas à moi à être son protecteur, puisque je suis son maître ? S'en ira-t-il sans avoir justice ? N'en aurais-je pas du regret ? Qu'est-ce qui

---

1. *Nonobstant* : malgré cela.
2. *Liard* : petite monnaie.
3. *Que vous* : sinon vous, excepté vous.

Arlequin (Daniel Auteuil) et le prince (Jean Dalric).
Mise en scène de Bernard Murat. Théâtre de l'Atelier, 1988.

fera mon office de prince, si je ne le fais pas ! J'ordonne
60 donc que je lui rendrai Silvia. »

LE PRINCE. Ne changeras-tu jamais de langage ? Regarde
comme j'en agis avec toi. Je pourrais te renvoyer et garder
Silvia sans t'écouter ; cependant, malgré l'inclination que j'ai
pour elle, malgré ton obstination et le peu de respect que tu
65 me montres, je m'intéresse à ta douleur ; je cherche à la
calmer par mes faveurs ; je descends jusqu'à te prier de me
céder Silvia de bonne volonté ; tout le monde t'y exhorte,
tout le monde te blâme et te donne un exemple de l'ardeur
qu'on a de me plaire ; tu es le seul qui résiste. Tu dis que
70 je suis ton prince : marque-le-moi donc par un peu de docilité.

ARLEQUIN, *toujours triste.* Eh ! Monseigneur, ne vous fiez
pas à ces gens qui vous disent que vous avez raison avec
moi, car ils vous trompent. Vous prenez cela pour argent

115

comptant ; et puis vous avez beau être bon, vous avez beau
75 être brave homme, c'est autant de perdu, cela ne vous fait
point de profit. Sans ces gens-là, vous ne me chercheriez point
de chicane ; vous ne diriez pas que je vous manque de respect
parce que je vous représente mon bon droit. Allez, vous êtes
mon prince, et je vous aime bien ; mais je suis votre sujet,
80 et cela mérite quelque chose.

Le Prince.   Va, tu me désespères.

Arlequin.   Que je suis à plaindre !

Le Prince.   Faudra-t-il donc que je renonce à Silvia ? Le
moyen d'en être jamais aimé, si tu ne veux pas m'aider ?
85 Arlequin, je t'ai causé du chagrin ; mais celui que tu me fais
est plus cruel que le tien.

Arlequin.   Prenez quelque consolation, Monseigneur ;
promenez-vous, voyagez quelque part ; votre douleur se
passera dans les chemins.

90 Le Prince.   Non, mon enfant : j'espérais quelque chose de
ton cœur pour moi, je t'aurais plus d'obligation que je n'en
aurai jamais à personne ; mais tu me fais tout le mal qu'on
peut me faire. Va, n'importe, mes bienfaits t'étaient réservés,
et ta dureté n'empêche pas que tu n'en jouisses.

95 Arlequin.   Aïe ! qu'on a de mal dans la vie !

Le Prince.   Il est vrai que j'ai tort à ton égard ; je me
reproche l'action que j'ai faite, c'est une injustice ; mais tu
n'en es que trop vengé.

Arlequin.   Il faut que je m'en aille ; vous êtes trop fâché
100 d'avoir tort ; j'aurais peur de vous donner raison.

Le Prince.   Non, il est juste que tu sois content ; tu
souhaites que je te rende justice ; sois heureux aux dépens
de tout mon repos.

Arlequin.   Vous avez tant de charité pour moi ; n'en
105 aurais-je donc pas pour vous ?

Le Prince, *triste*.   Ne t'embarrasse pas de moi.

ARLEQUIN.   Que j'ai de souci ! le voilà désolé.

LE PRINCE, *en caressant Arlequin*. Je te sais bon gré de la sensibilité où je te vois. Adieu, Arlequin ; je t'estime malgré
110 tes refus.

ARLEQUIN *laisse faire un ou deux pas au prince*. Monseigneur !

LE PRINCE.   Que me veux-tu ? me demandes-tu quelque grâce ?

ARLEQUIN.   Non ; je ne suis qu'en peine de savoir si je
115 vous accorderai celle que vous voulez.

LE PRINCE.   Il faut avouer que tu as le cœur excellent !

ARLEQUIN.   Et vous aussi ; voilà ce qui m'ôte le courage. Hélas ! que les bonnes gens sont faibles !

LE PRINCE.   J'admire tes sentiments.

120 ARLEQUIN.   Je le crois bien ; je ne vous promets pourtant rien ; il y a trop d'embarras dans ma volonté ; mais, à tout hasard, si je vous donnais Silvia, avez-vous dessein que je sois votre favori ?

LE PRINCE.   Eh ! qui le serait donc ?

125 ARLEQUIN.   C'est qu'on m'a dit que vous aviez coutume d'être flatté ; moi, j'ai coutume de dire vrai, et une bonne coutume comme celle-là ne s'accorde pas avec une mauvaise ; jamais votre amitié ne sera assez forte pour endurer la mienne.

130 LE PRINCE.   Nous nous brouillerons ensemble si tu ne me réponds toujours ce que tu penses. Il ne me reste qu'une chose à te dire, Arlequin : souviens-toi que je t'aime : c'est tout ce que je te recommande.

ARLEQUIN.   Flaminia sera-t-elle sa maîtresse ?

135 LE PRINCE.   Ah ! ne me parle point de Flaminia ; tu n'étais pas capable de me donner tant de chagrin sans elle.
Il s'en va.

ARLEQUIN.   Point du tout ; c'est la meilleure fille du monde ; vous ne devez point lui vouloir de mal.

117

SCÈNE 6. ARLEQUIN, *seul.*

ARLEQUIN.   Apparemment que mon coquin de valet aura
médit de ma bonne amie. Par la mardi ! il faut que j'aille
voir où elle est. Mais moi, que ferai-je à cette heure ? Est-ce
que je quitterai Silvia ? Cela se pourra-t-il ? Y aura-t-il
5 moyen ? Ma foi, non, non assurément. J'ai un peu fait le
nigaud avec le prince, parce que je suis tendre à la peine
d'autrui ; mais le prince est tendre aussi, il ne dira mot.

SCÈNE 7. FLAMINIA *arrive d'un air triste,*
ARLEQUIN.

ARLEQUIN.   Bonjour, Flaminia ; j'allais vous chercher.
FLAMINIA.   Adieu, Arlequin.
ARLEQUIN.   Qu'est-ce que cela veut dire : adieu ?
FLAMINIA.   Trivelin nous a trahis ; le prince a su l'intelligence[1]
5 qui est entre nous ; il vient de m'ordonner de sortir d'ici et
m'a défendu de vous voir jamais. Malgré cela, je n'ai pu
m'empêcher de venir vous parler encore une fois ; ensuite
j'irai où je pourrai pour éviter sa colère.
ARLEQUIN, *étonné et déconcerté.*   Ah ! me voilà un joli garçon
10 à présent !
FLAMINIA.   Je suis au désespoir, moi ! Me voir séparée pour
jamais d'avec vous, de tout ce que j'avais de plus cher au
monde ! Le temps me presse, je suis forcée de vous quitter ;
mais avant de partir, il faut que je vous ouvre mon cœur.
15 ARLEQUIN, *en reprenant son haleine.*   Aïe ! Qu'est-ce, m'amie ?

---

1. *L'intelligence :* complicité, accord entre des personnes.

FLAMINIA. Ce n'est point de l'amitié que j'avais pour vous, Arlequin ; je m'étais trompée.

ARLEQUIN, *d'un ton essoufflé.* C'est donc de l'amour ?

FLAMINIA. Et du plus tendre. Adieu.

20 ARLEQUIN, *la retenant.* Attendez... Je me suis peut-être trompé, moi aussi, sur mon compte.

FLAMINIA. Comment ! vous vous seriez mépris ! Vous m'aimeriez, et nous ne nous verrions plus ! Arlequin, ne m'en dites pas davantage ; je m'enfuis.

Elle fait un ou deux pas.

25 ARLEQUIN. Restez.

FLAMINIA. Laissez-moi aller ; que ferons-nous ?

ARLEQUIN. Parlons raison.

FLAMINIA. Que vous dirai-je ?

ARLEQUIN. C'est que mon amitié est aussi loin que la
30 vôtre ; elle est partie : voilà que je vous aime, cela est décidé, et je n'y comprends rien. Ouf !

FLAMINIA. Quelle aventure !

ARLEQUIN. Je ne suis point marié, par bonheur.

FLAMINIA. Il est vrai.

35 ARLEQUIN. Silvia se mariera avec le prince et il sera content.

FLAMINIA. Je n'en doute point.

ARLEQUIN. Ensuite, puisque notre cœur s'est mécompté[1] et que nous nous aimons par mégarde, nous prendrons patience et nous nous accommoderons à l'avenant.

40 FLAMINIA, *d'un ton doux.* J'entends bien ; vous voulez dire que nous nous marierons ensemble ?

ARLEQUIN. Vraiment oui ; est-ce ma faute, à moi ? Pourquoi ne m'avertissiez-vous pas que vous m'attraperiez et que vous seriez ma maîtresse ?

---

1. *S'est mécompté* : s'est trompé.

119

45 FLAMINIA.   M'avez-vous avertie que vous deviendriez mon amant ?

ARLEQUIN.   Morbleu ! le devinais-je ?

FLAMINIA.   Vous étiez assez aimable pour le deviner.

ARLEQUIN.   Ne nous reprochons rien ; s'il ne tient qu'à 50 être aimable, vous avez plus de tort que moi.

FLAMINIA.   Épousez-moi, j'y consens ; mais il n'y a point de temps à perdre, et je crains qu'on ne vienne m'ordonner de sortir.

ARLEQUIN, *en soupirant*.   Ah ! je pars pour parler au prince. 55 Ne dites pas à Silvia que je vous aime ; elle croirait que je suis dans mon tort, et vous savez que je suis innocent. Je ne ferai semblant de rien avec elle ; je lui dirai que c'est pour sa fortune que je la laisse là.

FLAMINIA.   Fort bien ; j'allais vous le conseiller.

60 ARLEQUIN.   Attendez, et donnez-moi votre main que je la baise... Qui est-ce qui aurait cru que j'y prendrais tant de plaisir ? Cela me confond.

SCÈNE 8.   FLAMINIA, SILVIA.

FLAMINIA, *à part*.   En vérité, le prince a raison ; ces petites personnes-là font l'amour d'une manière à ne pouvoir y résister. Voici l'autre. *(À Silvia qui entre.)* À quoi rêvez-vous, belle Silvia ?

5 SILVIA.   Je rêve à moi, et je n'y entends rien.

FLAMINIA.   Que trouvez-vous donc en vous de si incompréhensible ?

SILVIA.   Je voulais me venger de ces femmes, vous savez bien ? Cela s'est passé.

10 FLAMINIA.   Vous n'êtes guère vindicative.

SILVIA.   J'aimais Arlequin ; n'est-ce pas ?

FLAMINIA.   Il me le semblait.

SILVIA.   Eh bien, je crois que je ne l'aime plus.

FLAMINIA.   Ce n'est pas un si grand malheur.

15 SILVIA.   Quand ce serait un malheur, qu'y ferais-je ? Lorsque je l'ai aimé, c'était un amour qui m'était venu ; à cette heure je ne l'aime plus, c'est un amour qui s'en est allé ; il est venu sans mon avis, il s'en retourne de même ; je ne crois pas être blâmable.

20 FLAMINIA, *les premiers mots à part.*   Rions un moment. Je le pense à peu près de même.

SILVIA.   Qu'appelez-vous à peu près ? Il faut le penser tout à fait comme moi, parce que cela est. Voilà de mes gens qui disent tantôt oui, tantôt non.

25 FLAMINIA.   Sur quoi vous emportez-vous donc ?

SILVIA.   Je m'emporte à propos ; je vous consulte bonnement, et vous allez me répondre des à peu près qui me chicanent !

FLAMINIA.   Ne voyez-vous pas bien que je badine, et que
30 vous n'êtes que louable ? Mais n'est-ce pas cet officier que vous aimez ?

SILVIA.   Et qui donc ? Pourtant je n'y consens pas encore, à l'aimer ; mais à la fin il faudra bien y venir : car dire toujours non à un homme qui demande toujours oui, le voir
35 triste, toujours se lamentant, toujours le consoler de la peine qu'on lui fait, dame ! cela lasse : il vaut mieux ne lui en plus faire.

FLAMINIA.   Oh ! vous allez le charmer ; il mourra de joie.

SILVIA.   Il mourrait de tristesse, et c'est encore pis.

40 FLAMINIA.   Il n'y a pas de comparaison.

SILVIA.   Je l'attends ; nous avons été plus de deux heures ensemble, et il va revenir pour être avec moi quand le prince me parlera. Cependant quelquefois j'ai peur qu'Arlequin ne s'afflige trop ; qu'en dites-vous ? Mais ne me rendez pas
45 scrupuleuse.

FLAMINIA.   Ne vous inquiétez pas ; on trouvera aisément moyen de l'apaiser.

SILVIA, *avec un petit air d'inquiétude*.   De l'apaiser ! Diantre ! il est donc bien facile de m'oublier, à ce compte ? Est-ce qu'il
50 a fait quelque maîtresse, ici ?

FLAMINIA.   Lui, vous oublier ? J'aurais perdu l'esprit si je vous le disais. Vous serez trop heureuse s'il ne se désespère pas.

SILVIA.   Vous avez bien affaire de me dire cela ! Vous êtes
55 cause que je redeviens incertaine, avec votre désespoir.

FLAMINIA.   Et s'il ne vous aime plus, que direz-vous ?

SILVIA.   S'il ne m'aime plus ?... vous n'avez qu'à garder votre nouvelle.

FLAMINIA.   Eh bien, il vous aime encore et vous en êtes
60 fâchée ! Que vous faut-il donc ?

Silvia (Dominique Constanza) et Flaminia (Françoise Seigner).
Mise en scène de Jean-Luc Boutté. Festival d'Avignon, 1980.

SILVIA.   Hum ! vous qui riez, je voudrais bien vous voir à
ma place !

FLAMINIA.   Votre amant vous cherche ; croyez-moi, finissez
avec lui, sans vous inquiéter du reste.

Elle sort.

SCÈNE 9.   SILVIA, LE PRINCE.

LE PRINCE.   Eh quoi ! Silvia, vous ne me regardez pas ?
Vous devenez triste toutes les fois que je vous aborde ; j'ai
toujours le chagrin de penser que je vous suis importun.

SILVIA.   Bon, importun ! je parlais de lui tout à l'heure.

5 LE PRINCE.   Vous parliez de moi ? et qu'en disiez-vous,
belle Silvia ?

SILVIA.   Oh ! je disais bien des choses ; je disais que vous
ne saviez pas encore ce que je pensais.

LE PRINCE.   Je sais que vous êtes résolue à me refuser votre
10 cœur, et c'est là savoir ce que vous pensez.

SILVIA.   Vous n'êtes pas si savant que vous le croyez, ne
vous vantez pas tant. Mais, dites-moi ; vous êtes un honnête
homme, et je suis sûre que vous me direz la vérité : vous
savez comme je suis avec Arlequin ; à présent, prenez que
15 j'ai envie de vous aimer : si je contentais mon envie, ferais-
je bien ? ferais-je mal ? Là, conseillez-moi dans la bonne foi.

LE PRINCE.   Comme on n'est pas le maître de son cœur, si
vous aviez envie de m'aimer, vous seriez en droit de vous
satisfaire ; voilà mon sentiment.

20 SILVIA.   Me parlez-vous en ami ?

LE PRINCE.   Oui, Silvia, en homme sincère.

SILVIA.   C'est mon avis aussi : j'ai décidé de même, et je
crois que nous avons raison tous deux ; ainsi je vous aimerai,
s'il me plaît, sans qu'il y ait le petit mot à dire.

25 LE PRINCE.   Je n'y gagne rien, car il ne vous plaît point.

SILVIA.   Ne vous mêlez point de deviner ; je n'ai point de foi à vous[1]. Mais enfin ce prince, puisqu'il faut que je le voie, quand viendra-t-il ? S'il veut, je l'en quitte[2].

LE PRINCE.   Il ne viendra que trop tôt pour moi ; lorsque
30 vous le connaîtrez, vous ne voudrez peut-être plus de moi.

SILVIA.   Courage ! vous voilà dans la crainte à cette heure ; je crois qu'il a juré de n'avoir jamais un moment de bon temps.

LE PRINCE.   Je vous avoue que j'ai peur.

35 SILVIA.   Quel homme ! il faut bien que je lui remette l'esprit. Ne tremblez plus ; je n'aimerai jamais le prince, je vous en fais un serment par...

LE PRINCE.   Arrêtez, Silvia ; n'achevez pas votre serment, je vous en conjure.

40 SILVIA.   Vous m'empêcherez de jurer ? Cela est joli ; j'en suis bien aise.

LE PRINCE.   Voulez-vous que je vous laisse jurer contre moi ?

SILVIA.   Contre vous ! est-ce que vous êtes le prince ?

45 LE PRINCE.   Oui, Silvia ; je vous ai jusqu'ici caché mon rang, pour essayer de ne devoir votre tendresse qu'à la mienne ; je ne voulais rien perdre du plaisir qu'elle pouvait me faire. À présent que vous me connaissez, vous êtes libre d'accepter ma main et mon cœur, ou de refuser l'un et
50 l'autre. Parlez, Silvia.

SILVIA.   Ah ! mon cher prince, j'allais faire un beau serment ! Si vous avez cherché le plaisir d'être aimé de moi, vous avez bien trouvé ce que vous cherchiez ; vous savez que je dis la vérité, voilà ce qui m'en plaît.

55 LE PRINCE.   Notre union est donc assurée.

---

1. *Je n'ai point de foi à vous* : je ne vous ai pas donné mon accord.
2. *Je l'en quitte* : je l'en tiens quitte.

SCÈNE 10. ARLEQUIN, FLAMINIA, SILVIA, LE PRINCE.

ARLEQUIN. J'ai tout entendu, Silvia.

SILVIA. Eh bien, Arlequin, je n'aurai donc pas la peine de vous rien dire ; consolez-vous donc comme vous pourrez de vous-même. Le prince vous parlera, j'ai le cœur tout
5 entrepris[1] : voyez, accommodez-vous ; il n'y a plus de raison à moi[2], c'est la vérité. Qu'est-ce que vous me diriez ? que je vous quitte. Qu'est-ce que je vous répondrais ? que je le sais bien. Prenez que vous l'avez dit, prenez que j'ai répondu, laissez-moi après, et voilà qui sera fini.

10 LE PRINCE. Flaminia, c'est à vous que je remets Arlequin ; je l'estime et je vais le combler de biens. Toi, Arlequin, accepte de ma main Flaminia pour épouse, et sois pour jamais assuré de la bienveillance de ton prince. Belle Silvia, souffrez que des fêtes qui vous sont préparées annoncent ma joie à
15 des sujets dont vous allez être la souveraine.

ARLEQUIN. À présent je me moque du tour que notre amitié nous a joué. Patience ; tantôt nous lui en jouerons d'un autre.

de Marivaux

---

1. *Entrepris :* occupé.
2. Deux sens possibles : « ce n'est plus la peine de raisonner avec moi » ou « je ne suis plus maîtresse de ma raison ».

Ensemble de l'acte III

INCONSTANCE OU RÉVÉLATION AMOUREUSE ?

C'est au cours de cet acte que se produit la séparation d'Arlequin et de Silvia ; la redistribution sentimentale s'opère avec la formation de deux nouveaux couples.

1. Marivaux avait fait représenter en 1722 *la Surprise de l'amour ;* le marquis d'Argens disait dans ses *Réflexions historiques et critiques sur le goût* (parues en 1743) que « presque toutes les comédies de Marivaux pourraient être intitulées *la Surprise de l'amour* ». Montrez la pertinence de cette remarque en l'appliquant aux scènes 7 et 9 de l'acte III.

2. Que pensez-vous de l'amour de Flaminia pour Arlequin ? Comment interpréter à cet égard son attitude présente comparée à son image d'inquiétante organisatrice à l'acte premier ?

3. Pensez-vous que l'inconstance amoureuse d'Arlequin et de Silvia soit une trahison ? Ou bien faut-il penser avec le critique Bernard Dort (voir p. 166) que « c'est la loi de la société qui veut que Silvia agisse ainsi, comme Arlequin », que « l'amour de Silvia et d'Arlequin » est « un paradis perdu » ?

4. Comment interprétez-vous les derniers mots de la pièce, sachant qu'ils sont prononcés par Arlequin ? Vous engagent-ils à douter de l'avenir de ces deux nouveaux couples ? Pourquoi ?

LA REDISTRIBUTION DES FORCES

Dans l'acte d'exposition, les heurts des deux groupes antagonistes fondaient l'action dramatique. L'acte de dénouement présente en revanche une situation d'apaisement où les éléments dynamiques s'équilibrent.

5. Définissez les deux camps dans lesquels on peut à présent classer les personnages de la pièce.

6. Quels sont les personnages absents de la scène de résolution finale ? En quoi peut-on dire que leur élimination de l'espace du plateau est significative ? Pensez-vous qu'ils sont absents parce que sans nécessité fonctionnelle, à présent que tout est réglé ? Ou bien croyez-vous que leur évacuation est, au contraire, indispensable au « triomphe de l'amour » ? Justifiez votre réponse.

Ensemble de l'œuvre

1. Constituez un tableau montrant la présence des personnages en scène, selon le modèle suivant :

PERSONNAGES	Acte I			Acte II			Acte III		
	sc. 1	sc. 2	etc.	sc. 1	sc. 2	etc.	sc. 1	sc. 2	etc.
Silvia									
Arlequin									
Trivelin									
Flaminia									
Lisette									
le prince									
le seigneur									

Que constatez-vous ? Lesquels sont les plus présents ? Lesquels ne se rencontrent jamais sur scène ?

2. En vous aidant de l'index (voir p. 130), relevez les propos qui vous semblent les plus remarquables sur les thèmes de l'amour, la fidélité, la séduction, le trouble amoureux.

3. Relevez dans le texte les éléments qui définissent un modèle social et politique propre au XVIIIe siècle. Vous pouvez vous aider de l'index, en particulier des entrées « cour », « honnête homme », « jeu social », « pouvoir », « souverain ».

Oui ou non ?
Gravure de Moreau le Jeune (1741-1814).
Bibliothèque nationale, Paris.

Documentation thématique

Index des thèmes
de l'œuvre

La séduction :
piège ou révélation ?

Le trouble, l'amour sont au cœur des comédies de Marivaux dont l'enjeu dramatique semble être essentiellement la préparation et l'attente de l'aveu. *La Double Inconstance* est centrée sur une stratégie amoureuse : on y voit les armes de la séduction, les chemins qu'elle emprunte, les transformations des personnages qu'elle accomplit.

Lorsque le théâtre parle d'amour ou que l'amour s'y dit, le jeu de la conquête oscille entre deux pôles. S'agira-t-il d'un émerveillement, d'une révélation de l'autre et de soi-même, ou bien au contraire d'un piège, où l'un gagne quand l'autre s'abandonne ?

L'émerveillement magique

Le langage théâtral de Paul Claudel (1868-1955) est fondé sur une unité de souffle : chaque verset doit être dit par le comédien sur une seule respiration. L'incarnation de l'écriture ainsi imposée va prendre un relief particulier dans ce passage du *Soulier de satin,* pièce écrite en 1929 et représentée pour la première fois en 1943.

Dans cette scène de séduction et d'harmonie, les mots courent, faciles, pour créer un moment d'accord magique, d'une évidence enfantine. Le décor a une importance particulière : la forêt, la nuit, la lune, un lit de fougères créent le cadre de la rencontre entre le Vice-roi et Dona Musique, les héros amoureux de la pièce.

131

DONA MUSIQUE. [...] Tenez, précisément, maintenant, à quoi pensez-vous ? Feu ! répondez-moi sans réfléchir.

LE VICE-ROI. Je pense à ce feu qui brûle, à ce ruisseau intarissable qui fuit,

Se répandant plus loin et encore plus loin, avec trois ou quatre voix, à lui-même.

Ce ne serait pas difficile de savoir ce qu'il raconte, de mettre des mots sur ce long récit. Ah ! que d'amers souvenirs !

DONA MUSIQUE, *lui serrant la main.* Où sont-ils, ces amers souvenirs ?

LE VICE-ROI. J'essaye en vain de me les rappeler, c'est comme le ruisseau, je ne sais plus s'ils sont en avant ou en arrière.

DONA MUSIQUE. Et qui donc vous empêche de vous les rappeler, Monsieur le Roi ?

LE VICE-ROI. Cette petite main dans la mienne.

DONA MUSIQUE. Ce n'est pas vrai, car à l'instant je sens de nouveau quelqu'un qui plonge et qui s'échappe. Où êtes-vous ? et à quoi pensez-vous ?

LE VICE-ROI. À ce vent qui souffle,

À tous ces solliciteurs qui m'assiègent, la justice à rendre contre des femmes qui pleurent,

Tout le mal que j'ai fait sans le vouloir ou le voulant à moitié.

DONA MUSIQUE. À quoi encore ?

LE VICE-ROI. À cette expédition qu'on m'a dit de préparer contre les Turcs.

DONA MUSIQUE. À quoi encore ?

LE VICE-ROI. Les Français, les pirates, le Pape à Rome, ces galons qu'on n'a jamais pu me trouver pour mon habit de cérémonie,

Ces mesures de bienfaisance pour la famine en Calabre qui ont si mal tourné, les usuriers à qui j'ai dû emprunter, mes ennemis à Madrid.

DONA MUSIQUE. Et tout cela, est-ce que cela vous fait de la peine à présent ?

LE VICE-ROI. Aucune. Du bruit seulement.

DONA MUSIQUE. Cela vous empêche-t-il de faire attention à autre chose ?

132

LE VICE-ROI. En effet il y a autre chose...

DONA MUSIQUE. Quelle chose ?

LE VICE-ROI. Autre chose au-dessous par moments que je voudrais entendre.

DONA MUSIQUE. Quand je vous ordonne de faire silence, qu'est-ce qui arrive ? alors vous entendez.
Je ne parle pas du vent, ni de la mer, ni de ce ruisseau qui fuit. Qu'est-ce que vous entendez ?

LE VICE-ROI. Une faible musique.

DONA MUSIQUE. Chante un peu cette musique, mon cœur, pour voir si je la reconnaîtrai !

LE VICE-ROI. Je ne puis quand je voudrais.

DONA MUSIQUE. Et moi, veux-tu que je chante ?
J'ai pu sauver ma guitare, mais elle n'a plus de cordes.

LE VICE-ROI. Il n'y a pas besoin de cordes.

DONA MUSIQUE. Alors regarde-moi un peu pour que je sache à quel endroit je dois prendre. *(Avec un faible cri.)* Ah !

LE VICE-ROI. Vous ai-je fait mal ?

DONA MUSIQUE. Mon cœur s'arrête !

LE VICE-ROI. C'est défendu de regarder où tu es ?

DONA MUSIQUE. Fais-moi le même mal encore !

LE VICE-ROI. Quel est ce visage effrayé que je vois dans la lumière de la lune ?

DONA MUSIQUE. C'est mon âme qui essaie de se défendre et qui fuit en poussant des cris entrecoupés !

LE VICE-ROI. Est-ce là tout ce chant où tu te disais prête ?

DONA MUSIQUE. Mon chant est celui que je fais naître.

LE VICE-ROI. Ce n'est pas un chant, c'est une tempête qui prend avec elle et le ciel et les eaux et les bois et toute la terre !

DONA MUSIQUE. De tout cela est-ce que la musique est absente ?

LE VICE-ROI. Regarde-moi avant que je ne réponde.

DONA MUSIQUE. Je suis absente !

LE VICE-ROI. La divine musique est en moi.

DONA MUSIQUE. Promets qu'elle ne cessera plus !

LE VICE-ROI. Que puis-je promettre ? ce n'est pas moi qui chante, ce sont mes oreilles tout à coup qui se sont ouvertes ! Et qui sait si demain je ne serai pas redevenu sourd ?

DONA MUSIQUE. Il est vrai. Pauvre Musique !
Demain ce ne sera plus la forêt et le clair de lune. Demain ce sera ce terrible procès à juger, ce solliciteur à remplir, ces méchants à Madrid qui te calomnient,
Ces troupes à réunir, cet argent à rendre, cet habit qui ne va pas.

LE VICE-ROI. Écoute, Musique, je suis en train de comprendre quelque chose.
Sais-tu ?
Oui, si je n'étais pas sourd, même ces choses que tu dis,
Cela serait capable de s'arranger avec cette poussée divine de paroles composées que j'entends un moment et puis un autre moment, par intervalles ;
Non point paroles, mais leur pulpe délicieuse !
C'est cet ordre ineffable qui est la vérité, c'est ce flot tout-puissant contre quoi rien ne saurait prévaloir,
Et je sais que tous ces grincements affreux, tout ce désordre discordant, c'est ma faute parce que je n'ai point l'oreille docile.

DONA MUSIQUE. Et si j'existe avec toi, quoi, est-ce que tu seras jamais assez sourd pour ne point m'ouïr ?

LE VICE-ROI. Tu chantais sous une pierre en Espagne et déjà je t'écoutais du fond de mon jardin de Palerme.
Oui, c'est toi que j'écoutais et non pas une autre,
Pas ce jeu d'eau, pas cet oiseau qu'on entend quand il s'est tu !

DONA MUSIQUE. Dis-moi cela encore ! Ce vaste concert qui te donne tant de joie, dis que c'est tout de même moi qui le commence.
C'est moi au fond de ton cœur cette note unique, si pure, si touchante.

LE VICE-ROI. Toi.

DONA MUSIQUE. Dis que tu y seras toujours attentif. Ne mets pas entre toi et moi quelque chose. N'empêche pas que j'existe.

LE VICE-ROI. Dis plutôt, comment faisais-tu pour exister avant que je ne t'aie connue ?

DONA MUSIQUE. Peut-être que tu me connaissais déjà sans le savoir.

LE VICE-ROI. Non, je sais que ce n'est pas pour moi que tu existes, pas plus que cet oiseau que je surprends, le cœur battant, dans la nuit,
Pour moi et non pas pour moi.

DONA MUSIQUE. Sans toi, l'oiseau serait mort, la tête sous l'aile, dans sa cage.

LE VICE-ROI. Penses-tu que c'est moi seul qui étais capable de t'entendre et de t'absorber ?

DONA MUSIQUE. Sans toi je n'aurais pas commencé à chanter.

LE VICE-ROI. Est-ce vrai que j'ai donné le bonheur à quelqu'un ?

DONA MUSIQUE. Ce bonheur qui te fait tant aimer,
Ma voix quand elle te parle, cette joie, ô mon ami, que je suis confuse de te donner.

LE VICE-ROI. Et crois-tu que la joie soit une chose qu'on donne et qu'on retrouve telle quelle ?
Celle que tu me donnes, c'est sur le visage des autres que tu la verras.
À toi seule, Musique, mon exigence et ma sévérité. Oui, je ne veux cesser de t'apprendre ta place qui est toute petite.

DONA MUSIQUE. Fais le fier comme si tu savais tout ! cette place que j'ai trouvée pour moi au-dessous de ton cœur, tu la connais ?
C'est la mienne et si tu m'y pouvais découvrir, je ne m'y sentirais pas aussi bien.

LE VICE-ROI. Tu m'expliqueras cela tout à l'heure. Viens, nous ne sommes pas bien ainsi. Cédons à ce conseil de la nuit et de toute la terre. Viens avec moi sur ce lit profond de roseaux et de fougères que tu as préparé.

DONA MUSIQUE. Si vous essayez de m'embrasser, alors vous n'entendrez plus la musique !

Paul Claudel, *le Soulier de satin*,
Deuxième journée, scène 10, Gallimard, 1929.

135

Un abandon absolu à l'autre ?

Une autre scène du *Soulier de satin,* entre Dona Prouhèze et Don Camille, dont elle est aimée, est placée sous le signe d'une séduction crépusculaire, ténébreuse et dangereuse. Le risque est celui d'un abandon absolu à l'autre ; il s'agit de donner son âme, à jamais. Don Camille parle en guerrier, avec des mots lourds, violents, barbares, sans compromis possible.

DON CAMILLE. Comme si nous étions d'accord en dessous, comme si tout cela était de complicité avec elle. Un petit clin d'œil, comme ça ! C'est cela qui la mettait hors d'elle-même. Pauvre maman !
Et cependant qui diable m'a fait, je vous prie, si ce n'est elle seule ?
DONA PROUHÈZE. Je ne suis pas chargée de vous refaire.
DON CAMILLE. Qu'en savez-vous ? Mais c'est peut-être moi qui suis chargé de vous défaire.
DONA PROUHÈZE. Ce sera difficile, Don Camille.
DON CAMILLE. Ce sera difficile, et cependant vous êtes déjà là qui m'écoutez malgré la défense de votre mari, à travers ce mur de feuilles. J'aperçois votre petite oreille.
DONA PROUHÈZE. Je sais que vous avez besoin de moi.
DON CAMILLE. Vous entendez que je vous aime ?
DONA PROUHÈZE. J'ai dit ce que j'ai dit.
DON CAMILLE. Et je ne vous fais point trop horreur ?
DONA PROUHÈZE. À cela vous ne pouvez réussir ainsi tout de suite.
DON CAMILLE. Dites, personne qui m'écoutez invisible et qui cheminez d'un même pas avec moi de l'autre côté de ce branchage, ce n'est pas tentant ce que je vous offre ?
D'autres à la femme qu'ils aiment montrent des perles, des châteaux, que sais-je ? des forêts, cent fermes, une flotte sur la mer, des mines, un royaume,
Une vie paisible et honorée, une coupe de vin à boire ensemble.
Mais moi, ce n'est rien de tout cela que je vous propose,

attends ! je sais que je vais toucher la fibre la plus secrète de ton cœur,

Mais une chose si précieuse que pour l'atteindre avec moi rien ne coûte, et vous vous ennuierez de vos biens, famille, patrie, de votre nom et de votre honneur même !

Oui, que faisons-nous ici, partons, Merveille !

DONA PROUHÈZE. Et quelle est cette chose si précieuse que vous m'offrez ?

DON CAMILLE. Une place avec moi où il n'y ait absolument plus rien ! *nada !* rrac !

DONA PROUHÈZE. Et c'est ça ce que vous voulez me donner ?

DON CAMILLE. N'est-ce rien que ce rien qui nous délivre de tout ?

DONA PROUHÈZE. Mais moi, j'aime la vie, Seigneur Camille ! J'aime le monde, j'aime l'Espagne ! J'aime ce ciel bleu, j'aime le bon soleil ! J'aime ce sort que le bon Dieu m'a fait.

DON CAMILLE. J'aime tout cela aussi. L'Espagne est belle. Grand Dieu, que ce serait bon si on pouvait la quitter une bonne fois et pour jamais !

DONA PROUHÈZE. N'est-ce pas ce que vous avez fait ?

DON CAMILLE. On revient toujours.

DONA PROUHÈZE. Mais est-ce qu'il existe, ce lieu où il n'y a absolument plus rien ?

DON CAMILLE. Il existe, Prouhèze.

DONA PROUHÈZE. Quel est-il ?

DON CAMILLE. Un lieu où il n'y a plus rien, un cœur où il n'y a pas autre chose que toi.

DONA PROUHÈZE. Vous détournez la tête en disant cela afin que je ne voie pas sur vos lèvres que vous vous moquez.

DON CAMILLE. Quand je dis que l'amour est jaloux, prétendez-vous que vous ne comprenez pas ?

DONA PROUHÈZE. Quelle femme ne le comprendrait ?

DON CAMILLE. Celle qui aime, les poètes ne disent-ils pas qu'elle gémit de n'être pas toute chose pour l'être qu'elle a choisi ? Il faut qu'il n'ait plus besoin que d'elle seule. C'est la mort et le désert qu'elle apporte avec elle.

137

DONA PROUHÈZE. Ah ! ce n'est pas la mort, mais la vie que je voudrais apporter à celui que j'aime,
La vie, fût-ce au prix de la mienne !

DON CAMILLE. Mais n'êtes-vous pas vous-même plus que ces royaumes à posséder, plus que cette Amérique à faire sortir de la mer ?

DONA PROUHÈZE. Je suis plus.

DON CAMILLE. Et qu'est-ce qu'une Amérique à créer auprès d'une âme qui s'engloutit ?

DONA PROUHÈZE. Faut-il donner mon âme pour sauver la vôtre ?

DON CAMILLE. Il n'y a pas d'autre moyen.

Paul Claudel, déjà cité, Première journée, scène 3.

Jouer avec le feu

Les Caprices de Marianne d'Alfred de Musset sont parus le 15 mai 1833 dans *la Revue des Deux Mondes*. La pièce propose la mise en scène d'une séduction ludique où l'agressivité tient un rôle essentiel. Octave, le séducteur, a pour seul but de toucher Marianne en ce qu'elle a de plus sensible : le domaine de la religion. La stratégie des deux amoureux s'exprime par une rivalité langagière. Il s'agit de lutter en trouvant les meilleures reparties possibles. Dans cette joute oratoire vive et étincelante, l'on ment à l'autre en feignant de parler d'autres amours et d'autres engagements. Mais c'est pour goûter la joie d'être ensemble, sans risque de se dévoiler.

Ciuta se retire. Entre Marianne.

OCTAVE. Belle Marianne, vous dormirez tranquillement. Le cœur de Cœlio est à une autre, et ce n'est plus sous vos fenêtres qu'il donnera ses sérénades.

MARIANNE. Quel dommage ! et quel grand malheur, de n'avoir pu partager un amour comme celui-là ! Voyez ! comme le hasard me contrarie ! Moi qui allais l'aimer.

OCTAVE. En vérité ?

MARIANNE. Oui, sur mon âme, ce soir ou demain matin, dimanche au plus tard, je lui appartenais. Qui pourrait ne pas réussir avec un ambassadeur tel que vous ? Il faut croire que sa passion pour moi était quelque chose comme du chinois ou de l'arabe, puisqu'il lui fallait un interprète, et qu'elle ne pouvait s'expliquer toute seule.

OCTAVE. Raillez, raillez ! nous ne vous craignons plus.

MARIANNE. Ou peut-être que cet amour n'était encore qu'un pauvre enfant à la mamelle, et vous, comme une sage nourrice, en le menant à la lisière, vous l'aurez laissé tomber la tête la première en le promenant par la ville.

OCTAVE. La sage nourrice s'est contentée de lui faire boire d'un certain lait que la vôtre vous a versé sans doute, et généreusement ; vous en avez encore sur les lèvres une goutte qui se mêle à toutes vos paroles.

MARIANNE. Comment s'appelle ce lait merveilleux ?

OCTAVE. L'indifférence. Vous ne pouvez ni aimer ni haïr, et vous êtes comme les roses du Bengale, Marianne, sans épines et sans parfum.

MARIANNE. Bien dit. Aviez-vous préparé d'avance cette comparaison ? Si vous ne brûlez pas le brouillon de vos harangues, donnez-le-moi de grâce que je les apprenne à ma perruche.

OCTAVE. Qu'y trouvez-vous qui puisse vous blesser ? Une fleur sans parfum n'en est pas moins belle ; bien au contraire, ce sont les plus belles que Dieu a faites ainsi ; et le jour où, comme une Galatée d'une nouvelle espèce, vous deviendrez de marbre au fond de quelque église, ce sera une charmante statue que vous ferez, et qui ne laissera pas que de trouver quelque niche respectable dans un confessionnal.

Alfred de Musset, *les Caprices de Marianne,* acte II, scène I, 1833.

Mentir pour posséder l'autre

Au théâtre, le séducteur-né est le personnage de Don Juan. La pièce de Molière qui porte ce titre présente la version classique du mythe. Celle-ci fut créée en 1665, fit scandale et fut interdite après quinze représentations. La scène 2 de l'acte II montre une séduction choquante, celle de la jeune Charlotte, fiancée à Pierrot, par un seigneur (Dom Juan) qui s'amuse à profiter de son rang et de la fascination qu'il exerce sur la villageoise, pour se livrer à des privautés physiques avec elle. Le ton est brutal, direct et cynique. Il s'agit d'agir vite, dans une sorte d'exercice d'entraînement à la séduction trompeuse.

DOM JUAN, *apercevant Charlotte.* Ah ! ah ! d'où sort cette autre paysanne, Sganarelle ? As-tu rien vu de plus joli ? et ne trouves-tu pas, dis-moi, que celle-ci vaut bien l'autre ?

SGANARELLE. Assurément. *(À part.)* Autre pièce nouvelle.

DOM JUAN, *à Charlotte.* D'où me vient, la belle, une rencontre si agréable ? Quoi ? dans ces lieux champêtres, parmi ces arbres et ces rochers, on trouve des personnes faites comme vous êtes ?

CHARLOTTE. Vous voyez, Monsieur.

DOM JUAN. Êtes-vous de ce village ?

CHARLOTTE. Oui, Monsieur.

DOM JUAN. Et vous y demeurez ?

CHARLOTTE. Oui, Monsieur.

DOM JUAN. Vous vous appelez ?

CHARLOTTE. Charlotte, pour vous servir.

DOM JUAN. Ah ! la belle personne, et que ses yeux sont pénétrants !

CHARLOTTE. Monsieur, vous me rendez toute honteuse.

DOM JUAN. Ah ! n'ayez point de honte d'entendre dire vos vérités. Sganarelle, qu'en dis-tu ? Peut-on rien voir de plus agréable ? Tournez-vous un peu, s'il vous plaît. Ah ! que cette taille est jolie ! Haussez un peu la tête, de grâce. Ah ! que ce visage est mignon ! Ouvrez vos yeux entièrement. Ah ! qu'ils sont beaux ! Que je voie un peu vos dents, je vous prie. Ah ! qu'elles sont amoureuses, et ces lèvres appétissantes ! Pour moi, je suis ravi, et je n'ai jamais vu une si charmante personne.

CHARLOTTE. Monsieur, cela vous plaît à dire, et je ne sais pas si c'est pour vous railler de moi.

DOM JUAN. Moi, me railler de vous ? Dieu m'en garde ! Je vous aime trop pour cela, et c'est du fond du cœur que je vous parle.

CHARLOTTE. Je vous suis bien obligée, si ça est.

DOM JUAN. Point du tout ; vous ne m'êtes point obligée de tout ce que je dis, et ce n'est qu'à votre beauté que vous en êtes redevable.

CHARLOTTE. Monsieur, tout ça est trop bien dit pour moi, et je n'ai pas d'esprit pour vous répondre.

DOM JUAN. Sganarelle, regarde un peu ses mains.

CHARLOTTE. Fi ! Monsieur, elles sont noires comme je ne sais quoi.

DOM JUAN. Ha ! que dites-vous là ? Elles sont les plus belles du monde ; souffrez que je les baise, je vous prie.

CHARLOTTE. Monsieur, c'est trop d'honneur que vous me faites, et si j'avais su ça tantôt, je n'aurais pas manqué de les laver avec du son.

DOM JUAN. Et dites-moi un peu, belle Charlotte, vous n'êtes pas mariée, sans doute ?

CHARLOTTE. Non, Monsieur ; mais je dois bientôt l'être avec Piarrot, le fils de la voisine Simonette.

DOM JUAN. Quoi ? une personne comme vous serait la femme d'un simple paysan ! Non, non : c'est profaner tant de beautés, et vous n'êtes pas née pour demeurer dans un village. Vous méritez sans doute une meilleure fortune, et le Ciel, qui le connaît bien, m'a conduit ici tout exprès pour empêcher ce mariage, et rendre justice à vos charmes ; car enfin, belle Charlotte, je vous aime de tout mon cœur, et il ne tiendra qu'à vous que je vous arrache de ce misérable lieu, et ne vous mette dans l'état où vous méritez d'être. Cet amour est bien prompt sans doute ; mais quoi ? c'est un effet, Charlotte, de votre grande beauté, et l'on vous aime autant en un quart d'heure, qu'on ferait une autre en six mois.

Molière, *Dom Juan,* acte II, scène 2, 1665.

Piéger la vertu

Une autre pièce de Molière, *le Tartuffe* (dont la troisième version, enfin autorisée à la représentation, date de 1669), présente des scènes où la séduction est un piège pour la vertu. Dans la scène 3 de l'acte III, Tartuffe, l'hypocrite religieux, use de sa position de confident, d'homme de Dieu en qui l'on peut avoir confiance, pour troubler et séduire l'épouse de son ami. Il fait pour cela une utilisation remarquable du discours flatteur et rassurant, combiné au geste précis et audacieux. La prudence dans le choix des mots et des tournures montre l'intelligence de cette perversité et de cette concupiscence, à laquelle Elmire ne se laissera pourtant pas prendre.

TARTUFFE

Que le Ciel à jamais par sa toute bonté
Et de l'âme et du corps vous donne la santé,
Et bénisse vos jours autant que le désire
Le plus humble de ceux que son amour inspire.

ELMIRE

Je suis fort obligée à ce souhait pieux.
Mais prenons une chaise, afin d'être un peu mieux.

TARTUFFE

Comment de votre mal vous sentez-vous remise ?

ELMIRE

Fort bien ; et cette fièvre a bientôt quitté prise.

TARTUFFE

Mes prières n'ont pas le mérite qu'il faut
Pour avoir attiré cette grâce d'en haut ;
Mais je n'ai fait au Ciel nulle dévote instance
Qui n'ait eu pour objet votre convalescence.

ELMIRE

Votre zèle pour moi s'est trop inquiété.

TARTUFFE

On ne peut trop chérir votre chère santé,

Et pour la rétablir j'aurais donné la mienne.

ELMIRE

C'est pousser bien avant la charité chrétienne,
Et je vous dois beaucoup pour toutes ces bontés.

TARTUFFE

Je fais bien moins pour vous que vous ne méritez.

ELMIRE

J'ai voulu vous parler en secret d'une affaire,
Et suis bien aise ici qu'aucun ne nous éclaire.

TARTUFFE

J'en suis ravi de même, et sans doute il m'est doux,
Madame, de me voir seul à seul avec vous :
C'est une occasion qu'au Ciel j'ai demandée,
Sans que jusqu'à cette heure il me l'ait accordée.

ELMIRE

Pour moi, ce que je veux, c'est un mot d'entretien,
Où tout votre cœur s'ouvre et ne me cache rien.

TARTUFFE

Et je ne veux aussi pour grâce singulière
Que montrer à vos yeux mon âme tout entière,
Et vous faire serment que les bruits que j'ai faits
Des visites qu'ici reçoivent vos attraits
Ne sont pas envers vous l'effet d'aucune haine,
Mais plutôt d'un transport de zèle qui m'entraîne,
Et d'un pur mouvement...

ELMIRE

Je le prends bien aussi,
Et crois que mon salut vous donne ce souci.

TARTUFFE. *(Il lui serre le bout des doigts.)*
Oui, Madame, sans doute, et ma ferveur est telle...

ELMIRE

Ouf ! vous me serrez trop.

TARTUFFE

C'est par excès de zèle.
De vous faire aucun mal je n'eus jamais dessein,
Et j'aurais bien plutôt...
Il lui met la main sur le genou.

143

ELMIRE

Que fait là votre main ?

TARTUFFE

Je tâte votre habit : l'étoffe en est moelleuse.

ELMIRE

Ah ! de grâce, laissez, je suis fort chatouilleuse.
Elle recule sa chaise, et Tartuffe rapproche la sienne.

TARTUFFE

Mon Dieu ! que de ce point l'ouvrage est merveilleux !
On travaille aujourd'hui d'un air miraculeux ;
Jamais, en toute chose, on n'a vu si bien faire.

· Molière, *le Tartuffe*, vers 879 à 921, 1669.

Le conquérant trahi...

À l'acte IV, scène 5 du *Tartuffe* se trouve le moment symétrique
de la scène précédente. Elmire a décidé de mettre à l'épreuve
l'hypocrite Tartuffe, en lui faisant manifester ses désirs adultères
alors que le mari, Orgon, caché, assiste à la scène. Elmire n'a
pas d'autre moyen pour confondre ce traître dans sa maison,
et Orgon est tellement aveuglé qu'il laissera la scène aller de
plus en plus loin, au grand risque d'Elmire, qui doit donc à
la fois fuir les élans d'un Tartuffe comblé et jouer sa scène
de parade amoureuse, jusqu'à ce qu'Orgon soit assez convaincu.
Ce passage propose donc une séduction qui est démultipliée :
la femme joue l'épouse vertueuse et troublée, n'osant franchir
le pas de l'adultère. La présence d'Orgon crée une tension
qui jette le trouble dans l'attitude d'Elmire.

SCÈNE 5. TARTUFFE, ELMIRE, ORGON.

TARTUFFE

On m'a dit qu'en ce lieu vous me vouliez parler.

ELMIRE

Oui. L'on a des secrets à vous y révéler.
Mais tirez cette porte avant qu'on vous les dise,

Et regardez partout de crainte de surprise.
Une affaire pareille à celle de tantôt
N'est pas assurément ici ce qu'il nous faut ;
Jamais il ne s'est vu de surprise de même ;
Damis m'a fait pour vous une frayeur extrême,
Et vous avez bien vu que j'ai fait mes efforts
Pour rompre son dessein et calmer ses transports.
Mon trouble, il est bien vrai, m'a si fort possédée,
Que de le démentir je n'ai point eu l'idée ;
Mais, par-là, grâce au Ciel, tout a bien mieux été,
Et les choses en sont dans plus de sûreté.
L'estime où l'on vous tient a dissipé l'orage,
Et mon mari de vous ne peut prendre d'ombrage.
Pour mieux braver l'éclat des mauvais jugements,
Il veut que nous soyons ensemble à tous moments ;
Et c'est par où je puis, sans peur d'être blâmée,
Me trouver ici seule avec vous enfermée,
Et ce qui m'autorise à vous ouvrir un cœur
Un peu trop prompt peut-être à souffrir votre ardeur.

TARTUFFE

Ce langage à comprendre est assez difficile,
Madame, et vous parliez tantôt d'un autre style.

ELMIRE

Ah ! si d'un tel refus vous êtes en courroux,
Que le cœur d'une femme est mal connu de vous !
Et que vous savez peu ce qu'il veut faire entendre
Lorsque si faiblement on le voit se défendre !
Toujours notre pudeur combat dans ces moments
Ce qu'on peut nous donner de tendres sentiments.
Quelque raison qu'on trouve à l'amour qui nous dompte,
On trouve à l'avouer toujours un peu de honte ;
On s'en défend d'abord ; mais de l'air qu'on s'y prend,
On fait connaître assez que notre cœur se rend,
Qu'à nos vœux par honneur notre bouche s'oppose,
Et que de tels refus promettent toute chose.
C'est vous faire sans doute un assez libre aveu,
Et sur notre pudeur me ménager bien peu ;
Mais puisque la parole enfin en est lâchée,

145

À retenir Damis me serais-je attachée,
Aurais-je, je vous prie, avec tant de douceur
Écouté tout au long l'offre de votre cœur,
Aurais-je pris la chose ainsi qu'on m'a vu faire,
Si l'offre de ce cœur n'eût eu de quoi me plaire ?
Et lorsque j'ai voulu moi-même vous forcer
À refuser l'hymen qu'on venait d'annoncer,
Qu'est-ce que cette instance a dû vous faire entendre,
Que l'intérêt qu'en vous on s'avise de prendre,
Et l'ennui qu'on aurait que ce nœud qu'on résout
Vînt partager du moins un cœur que l'on veut tout ?

> Molière, *le Tartuffe*, vers 1387 à 1436, 1669.

Un jeu cruel et froid

En 1782 paraît un roman par lettres qui fait scandale : *les Liaisons dangereuses*. L'auteur, Choderlos de Laclos, y présente des complots d'amour cyniques et machiavéliques menés par la marquise de Merteuil et son ancien amant et complice, Valmont. Leur but : multiplier les expériences amoureuses en jouant à l'amour sans s'y faire prendre jamais, mais en trompant toujours les partenaires. Dans la lettre datée du 4 septembre 1781 et numérotée 81, la marquise de Merteuil écrit à Valmont. Il s'agit d'une entreprise de séduction dont le plaisir est essentiellement cérébral. Dans ce mode d'emploi permettant à une femme du monde d'avoir des amants sans ternir sa réputation, le ton est celui de la froideur et de l'analyse. Les sentiments humains sont observés, disséqués scientifiquement. Les phrases brèves, sans réplique, martèlent ces vérités assénées. La séduction est ici un piège absolu dans lequel l'autre doit chuter mais, pour son instigateur, c'est une œuvre d'art. Elle procure une jouissance narcissique intense : celle de se sentir invincible et d'être maître d'un être humain.

Alors je commençai à déployer sur le grand théâtre, les talents que je m'étais donnés. Mon premier soin fut d'acquérir le renom d'invincible. Pour y parvenir, les hommes qui ne me plaisaient point furent toujours les seuls dont j'eus l'air d'accepter les hommages. Je les employais utilement à me procurer les honneurs de la résistance, tandis que je me livrais sans crainte à l'Amant préféré. Mais, celui-là, ma feinte timidité ne lui a jamais permis de me suivre dans le monde ; et les regards du cercle ont été, ainsi, toujours fixés sur l'Amant malheureux.

Vous savez combien je me décide vite : c'est pour avoir observé que ce sont presque toujours les soins antérieurs qui livrent le secret des femmes. Quoi qu'on puisse faire, le ton n'est jamais le même, avant ou après le succès. Cette différence n'échappe point à l'observateur attentif et j'ai trouvé moins dangereux de me tromper dans le choix, que de le laisser pénétrer. Je gagne encore par là d'ôter les vraisemblances, sur lesquelles seules on peut nous juger.

Ces précautions et celle de ne jamais écrire, de ne délivrer jamais aucune preuve de ma défaite, pouvaient paraître excessives, et ne m'ont jamais paru suffisantes. Descendue dans mon cœur, j'y ai étudié celui des autres. J'y ai vu qu'il n'est personne qui n'y conserve un secret qu'il lui importe qui ne soit point dévoilé : vérité que l'antiquité paraît avoir mieux connue que nous, et dont l'histoire de Samson pourrait n'être qu'un ingénieux emblème. Nouvelle Dalila, j'ai toujours, comme elle, employé ma puissance à surprendre ce secret important. Hé ! de combien de nos Samsons modernes, ne tiens-je pas la chevelure sous le ciseau ! Et ceux-là, j'ai cessé de les craindre ; ce sont les seuls que je me sois permis d'humilier quelquefois. Plus souple avec les autres, l'art de les rendre infidèles pour éviter de leur paraître volage, une feinte amitié, une apparente confiance, quelques procédés généreux, l'idée flatteuse et que chacun conserve d'avoir été mon seul Amant, m'ont obtenu leur discrétion. Enfin, quand ces moyens m'ont manqué, j'ai su, prévoyant mes ruptures, étouffer d'avance, sous le ridicule ou la calomnie, la confiance que ces hommes dangereux auraient pu obtenir.

Choderlos de Laclos, *les Liaisons dangereuses,*
lettre du 4 septembre 1781, 1782.

L'ambiguïté : un séducteur à plaindre ?

Enfin, le scénario du film *Monsieur Ripois* (1954), de René
Clément, présente une forme de séduction en acte. La
séquence met en scène Patricia et Ripois, dont le rôle était
tenu par le comédien Gérard Philipe. Après avoir raconté à
Patricia sa vie de séducteur blasé, ce Don Juan moderne joue
la carte de la solitude et s'accuse à plaisir de tous les vices
devant elle afin de la toucher par un désir de rédemption. Le
ton de désespoir et de supplication émeut Patricia, qui est
tentée par ce beau rôle de la femme différente, qui l'aimera
pour ce qu'il est, afin de le ramener dans le droit chemin.
Elle est sans doute fascinée par le parfum sulfureux qu'il porte
avec lui.

ANDRÉ.   Vous ne voulez pas m'aider, Pat ?
PATRICIA.   Votre confession est terminée, n'est-ce pas ? Alors,
je peux m'en aller.
Elle se lève. André ne bouge pas. Elle s'éloigne.
ANDRÉ.   Patricia !
*Il se lève brusquement et va à elle. Gros plan des deux ; lui est
derrière elle.*
PATRICIA.   André ?
ANDRÉ.   Patricia, vous ne pouvez pas vous en aller maintenant...
Toute ma vie dépend de vous... Je l'ai étalée tout entière
devant vous, ma vie..., ma pauvre vie... Vous voyez que je
n'ai jamais aimé. Que mon malheur a été de ne jamais aimer.
Et voilà que je rencontre enfin le véritable amour. *(Il lui
embrasse le cou.)* La femme de ma vie, c'est vous... C'est vous,
Pat... Sans vous, je suis un homme perdu.
*Plan moyen des deux : Patricia s'est retournée ; ils sont face à
face.*
PATRICIA, *très calme*.   Si je vous comprends bien, André, vous
m'invitez à faire une bonne action.
ANDRÉ, *suppliant*.   Patricia...
PATRICIA, *lui coupant la parole*.   Comme Anne ? Comme
Norah ? Comme Marcelle ? Comme Catherine ? Et vous vous

êtes imaginé que c'était à mon tour, maintenant ! *(Elle éclate de rire.)* Mon pauvre André !...

ANDRÉ, *lui passant la main sur la joue.* Mais, Patricia, vous ne voyez pas que je ne suis plus le même. Vous me comprenez, Patricia..., je ne suis plus le même. Depuis que je vous aime, je ne suis plus le même.

Elle veut prendre son écharpe ; il la lui retire.

PATRICIA. Je ne vous crois pas... *(Après un silence.)* Hélas !

ANDRÉ, *reprenant espoir.* « Hélas ! », vous avez dit « hélas » ? Alors..., si vous croyiez...

Très gros plan d'André qui embrasse la joue de Patricia.

PATRICIA, *se dégageant sans hâte.* André..., voyons, vous ne m'êtes pas indifférent.

ANDRÉ, *radieux.* Patricia !... Oh ! Pat !

Patricia fait un geste pour contenir l'expression de ses sentiments. André veut parler, mais elle l'interrompt d'un signe de la main. André lui prend le bras et l'emmène peu à peu tout près de lui.

PATRICIA. Mais vous êtes un homme impossible... Ce soir encore..., vos petites machinations pour me faire venir ici...

ANDRÉ, *jouant aussitôt instinctivement de son air le plus pur.* Quelles machinations ?

PATRICIA. Ce coup de téléphone, tout à l'heure ?

ANDRÉ. Oui.

PATRICIA. Il venait bien d'Édimbourg ?

ANDRÉ. Non...

PATRICIA. Ainsi, il n'y a pas une heure, vous jouiez encore la comédie.

ANDRÉ. La dernière.

Elle prend son manteau et marche vers la porte. Il la rejoint.

PATRICIA. Comment voulez-vous qu'une femme vous croie ?

Une nouvelle fois, il prend le manteau, le jette sur un fauteuil et entraîne Patricia vers le centre de la pièce.

ANDRÉ. Oh ! vous me croirez..., vous finirez par me croire, par croire à mon amour... Je vous en donnerai des preuves. Je vais vous en donner une tout de suite : je quitte Catherine.

PATRICIA. Vraiment ?

ANDRÉ, *plan sur lui.* Nous divorçons... Enfin, je veux divorcer.

Nouveau plan des deux.

PATRICIA. Et que dit Catherine ?

ANDRÉ. Elle est d'accord.

PATRICIA. Comme je la comprends !

Un genou à terre (panoramique descendant), André se plaque contre elle. On ne voit pas la tête de Patricia.

ANDRÉ. Patricia, ne plaisantez pas..., c'est vrai ce que je vous dis là..., je vous jure que c'est vrai. *(Léger recadrage pour distinguer Patricia.)* Catherine et moi, c'est fini. Rien ne s'oppose plus à ce que vous et moi...

PATRICIA, *le coupant.* Si, moi.

ANDRÉ, *se serrant contre elle.* Oh !... je vous aime, Pat !

PATRICIA, *se dégageant.* Comment avoir la moindre confiance en vous ?

André s'écroule sur le fauteuil en cachant sa tête dans ses mains. Flash contre-plongée sur elle qui le regarde, hésitante, troublée. Retour sur lui en plongée.

ANDRÉ. Oui... Comment auriez-vous la moindre confiance en moi !... Mais tout ce que je vous ai dit sur moi *(Il relève la tête vers elle.)* et qui n'était pas à mon honneur !... N'était-ce pas une preuve de confiance ?... Vous avez voulu y voir je ne sais quel machiavélisme..., mais j'étais sincère... Oh ! sans vous..., il ne me reste plus qu'à mourir.

Patricia, de plus en plus troublée, n'arrive pas à croire qu'on puisse jouer la comédie à ce point. Lentement, elle étend le bras comme quelqu'un qui voudrait caresser un animal dangereux et qui a peur de ses réactions. Sa main se pose sur les cheveux d'André.

PATRICIA, *toujours en contre-plongée.* Comme vous êtes étrange !... J'en arrive à me demander... ?

André ne bronche pas, la tête dans les mains de Patricia.

PATRICIA. Peut-être faudrait-il croire... ?

Elle lui caresse le cou... Il lui prend la main et fait ainsi tourner Patricia devant lui pour l'amener à s'asseoir sur ses genoux.

ANDRÉ. Oh !... Pat...

René Clément, Hugh Mills et Raymond Queneau,
Monsieur Ripois, l'Avant-scène cinéma n° 55, janvier 1966.

Annexes

Le personnage d'Arlequin

Les origines historiques

C'est un phénomène historique d'exode rural dans l'Italie du Nord au XVIᵉ siècle qui est à l'origine du succès d'Arlequin, le valet le plus célèbre de la commedia dell'arte. Des paysans s'engageaient en ville comme serviteurs, ils étaient pauvres, parlaient patois. Ils portaient une chemise et un pantalon de travail blancs, parfois rapiécés, ainsi qu'une batte de bois qui leur avait servi à pousser les vaches et constituait une sorte de canne ou d'« épée du pauvre ».

Le nom d'« Arlequin » est peut-être parent du mot français médiéval « Harlequin », qui désignait un diablotin comique dans les croyances populaires. Ce personnage de théâtre s'ancre donc doublement du côté du diabolique. En effet, l'Église a longtemps excommunié les comédiens parce que leur capacité à revêtir de multiples aspects les marquait du sceau de l'étrangeté et les apparentait au diable.

L'Arlequin du théâtre italien

Au départ, les troupes de théâtre populaire se sont emparées de la figure du « zanni », le serviteur d'origine paysanne, pour en faire un personnage comique, celui du rustre qui se ridiculise à la ville parce qu'il n'en connaît pas les codes.

À l'origine, la commedia dell'arte présentait des spectacles itinérants sur les places des villages ou des villes. Les comédiens étaient aussi des acrobates et des danseurs remarquables d'agilité corporelle. Arlequin et Brighella, les premiers valets de cette comédie, échangeaient avec le public des plaisanteries salaces, faisaient des jeux de mots plaisants et grossiers, pratiquaient l'insolence et l'art de la moquerie.

Cette forme théâtrale connut un succès de plus en plus large, jusqu'à être accueillie, à la fin du XVIe siècle, dans les salles de théâtre nouvellement construites des palais princiers. Le comédien Alberto Naselli fut le premier Arlequin célèbre, c'est lui qui fit adopter son costume en drap fait de losanges multicolores ; il joua à Paris en 1572.

Les caractéristiques d'Arlequin

Le costume

Au XVIIe siècle, le personnage, avec son costume ample et coloré, est très populaire en France. Il porte aussi un feutre gris, parfois orné d'une queue de renard ou de lapin ; sa batte est glissée dans sa ceinture, ainsi qu'une petite bourse. Son visage est recouvert du masque de cuir noir ou de papier mâché propre à la commedia dell'arte et qui pour lui est bombé, avec de très étroites fentes pour les yeux et des sourcils remontés et hérissés.

Le mouvement

Le vêtement ne doit pas entraver les mouvements, puisque le valet est particulièrement bondissant. C'est le plus acrobate des personnages. Le travail corporel doit permettre à l'acteur d'assouplir son dos, de se voûter ou de se grandir, de s'étirer ou de paraître bossu. Il exécute parfois des danses populaires de Bergame (les « bergamasques »), ou bien il chante le bel canto italien ; mais sa qualité première est de faire des pirouettes et des cabrioles.

La fonction

Dans les formes anciennes du théâtre italien, Arlequin avait un rôle un peu à l'écart de l'intrigue. Il ne parlait avec les autres personnages que pour leur lancer des jeux de mots, des plaisanteries. Sa fonction consistait surtout à animer et à

pimenter le spectacle en introduisant du rythme et de la
vivacité. Il était surtout le spécialiste des « lazzi », intermèdes
qui permettaient de prendre le relais des autres comédiens en
panne d'improvisation ou à un moment charnière : c'était
donc lui le personnage clé qui faisait fonctionner l'improvisation
en gommant les temps morts et en introduisant un rythme.

L'évolution du rôle

À partir du XVIIIᵉ siècle, la fonction et la hiérarchie des rôles
se renversent. Sous l'influence des acteurs qui impriment leur
personnalité au personnage qu'ils jouent, Arlequin devient
plus fin ; son langage est moins grossier. Il n'emploie plus
systématiquement le patois et peut imiter les galants ou les
amoureux.

Arlequin devient ainsi l'un des protagonistes de l'intrigue
et même le héros de la pièce. Il conservera pourtant des traits
de caractère spécifiques, comme sa gourmandise (qui l'emporte
parfois sur son amour), sa ruse, son sens de l'ironie et de la
satire. Son origine paysanne ne sera plus sensible dans sa
balourdise ou son caractère rustique, mais plutôt dans un sens
du naturel et une naïveté subtile qui se joue des artifices.

Arlequin et Marivaux

En 1720, lorsqu'il débute, Marivaux écrit *Arlequin poli par
l'amour*. Le rôle d'Arlequin est destiné au grand comédien
Thomassin. Au début de la pièce, le personnage de la Fée
enlève Arlequin parce qu'il est « beau, brun, bien fait ». Elle
l'aime « avec les grâces qu'il a déjà [et] celles que lui prêtera
l'esprit quand il en aura », mais lui aime Silvia et en est
aimé. Leur amour triomphera, mais pour cela ils devront faire
leur éducation, apprendre à ruser, à mentir, à feindre.

En 1722, Marivaux recrée un rôle d'Arlequin (toujours

destiné à Thomassin) dans *la Surprise de l'amour*. Arlequin et Colombine aident ici la Comtesse et Lélio à se déclarer un amour qu'ils refusaient par peur et par orgueil.

L'année suivante, *la Double Inconstance* montre un Arlequin en position de jeune premier et de premier rôle : il garde des caractéristiques traditionnelles, bat Trivelin, cède à la gourmandise, bondit de joie, mais se sert de son naturel et joue de sa naïveté. Il préfigure l'Arlequin du *Prince travesti* dans sa virulente critique des honneurs, des nobles et de l'autorité aristocratique.

Le personnage d'Arlequin apparaît dans neuf autres pièces de Marivaux, les plus célèbres étant *la Fausse Suivante* et *l'Île des esclaves,* dans lesquelles il retrouve Trivelin. En revanche, il sera le seul représentant de la tradition italienne dans *le Triomphe de l'amour* et *les Fausses Confidences.*

Cette pièce, créée en 1736, offre le dernier rôle d'Arlequin écrit par Marivaux, comme toujours destiné à l'acteur Thomassin. Après la mort de l'interprète, en 1739, le personnage n'inspira plus Marivaux.

L'art du savoir-dire

La langue et le langage constituent des objets d'étude privilégiés pour la critique des œuvres de Marivaux. Au XVIIIe siècle, les puristes lui reprochaient le recours trop fréquent aux néologismes tandis que Voltaire stigmatisait une excessive recherche et un souci gratuit de subtilité dans son écriture.

Redéfinir le marivaudage

Au XIXe siècle, Littré définit le marivaudage comme « un style où l'on raffine sur le sentiment et l'expression ». On lie souvent ce terme à l'idée d'un badinage élégant et formel, traduit par un style galant, tout fait d'ornements et de pointes précieuses. « Marivauder » signifie alors entretenir une conversation amoureuse, courtoise, spirituelle et assez vaine.

Ces interprétations rapides et stéréotypées ne rendent pas justice au souci stylistique de Marivaux qui affirme dans ses *Pensées sur la clarté du discours* son désir d'exprimer la pensée « dans un degré de sens propre à la fixer, et à faire entrevoir en même temps toute son étendue inexprimable de vivacité ». Ainsi la réplique de Silvia dans *la Double Inconstance,* « il m'aime, crac, il m'enlève... », pouvait choquer au XVIIIe siècle par le recours à l'onomatopée, signe extralinguistique et marque de spontanéité. Mais cette parole jaillie comme naturellement sur la scène permet de fixer le vertige ou l'instant, de cerner au plus près la vérité d'un bref mouvement de l'esprit ou du cœur.

Quand dire, c'est faire

Au XVIIe siècle, l'abbé d'Aubignac soulignait, dans ses *Réflexions sur la tragédie,* les liens entre la poésie et le théâtre. Marivaux actualise cette parenté étymologique : le mot « poésie » vient du verbe grec « poïen » qui signifie « faire ». La représentation théâtrale est la mise en acte d'une parole.

Les pièces de Marivaux présentent de nombreux indices qui témoignent de cette conception du langage selon laquelle parler, c'est agir. Par exemple, à l'acte I, lorsque Flaminia cherche à jauger l'habileté de Lisette à séduire Arlequin, elle interroge celle-ci en ces termes : « Voyons, que lui diras-tu ? » La question superpose et assimile clairement « savoir-faire » et « savoir-dire ». Le même personnage joue encore de la confusion des mots lorsque, troublée par Arlequin, Flaminia s'écrie : « ces petites personnes-là font l'amour d'une manière... », car « faire l'amour », dans le langage du XVIIIe siècle, signifie « parler d'amour ». « Faire » égale « parler », dans une stricte équivalence.

De plus, chacun des personnages se définit avant tout comme une voix singulière, révélée par ses mots. Il ne s'agit pas d'une simple différenciation sociale marquée par divers niveaux de langue où l'on distinguerait la langue des maîtres et celle des valets, par exemple. Certes, Arlequin et Silvia ont une « parlure » (un langage spécifique) remarquable (on peut en particulier relever les proverbes, jurons et archaïsmes qui émaillent les propos du paysan venu de la commedia dell'arte) mais tous deux n'utilisent pas le même registre : leur parenté au regard du langage dépasse le cadre strictement sociologique, et manifeste d'autres enjeux.

L'apprentissage du langage

Des premières pièces aux dernières, il s'agit de faire du langage l'arme et l'enjeu du spectacle. La clef de la plupart des comédies de Marivaux réside sans doute dans ce processus : apprendre à dire l'amour, parvenir à l'aveu.

Dans la *Double Inconstance,* les héros (Arlequin et Silvia) ont comme caractéristique commune de venir d'ailleurs ; cet ailleurs est le lieu de la nature, de la spontanéité, de l'enfance. Ils sont plongés dans l'univers de la Cour qui est un espace social (celui du pouvoir, de la communication et des stratégies langagières). La maîtrise des choses passe par la maîtrise du discours ; le maniement des mots est un moyen de blesser, de vaincre, de convaincre.

Au début de la pièce, Arlequin et Silvia sont étrangers à ce monde et à ses manières. Ils n'en ont acquis ni les usages (c'est-à-dire la rhétorique), ni le vocabulaire, pas plus qu'ils n'ont pris conscience de la vertu et de la force des mots. La scène de l'écritoire, entre Arlequin et Trivelin, à l'acte III, montre cet apprentissage des codes. Au tout début de l'acte II, Silvia est prise aux rets des « bonnes paroles », dans une ronde affolante de propos dont elle ne sait que faire et auxquels elle ne sait pas répondre : « c'est tout comme si je leur parlais grec ».

L'impuissance et la naïveté de ces deux personnages s'inscrivent dans la question « que lui dirai-je ? ». Cette interrogation trahit en effet leur appartenance symbolique au monde des enfants, puisque, au sens premier, l'*infans,* c'est celui qui ne parle pas. Il leur faut peu à peu quitter l'harmonie originelle, fusionnelle qui les liait pour entrer sur la scène du théâtre, et faire l'épreuve de la séparation. Le prix de cette épreuve est la maîtrise du langage, lieu de l'ambiguïté ou de l'ambivalence, et signe même de l'humain.

Cela explique peut-être pourquoi la langue de Marivaux est d'un apprentissage difficile pour les comédiens qui répètent leurs rôles. Ce constat, souvent fait par les gens du métier, est sans doute lié à ce que savoir le texte sans erreur, c'est être parvenu à saisir le personnage dans son entier. Avoir les mots en bouche, c'est — plus encore que pour d'autres auteurs — tenir le personnage dans toutes ses dimensions.

Mises en scène
de *la Double Inconstance*

Créée à Paris par la troupe des comédiens-italiens de Luigi
Riccoboni, le 6 avril 1723, *la Double Inconstance* sera souvent
reprise par les mêmes acteurs : ils la joueront chaque année
jusqu'en 1726, puis en 1729, 1731, 1733, etc. Après la
disparition, en 1779, du nouveau Théâtre-Italien, *la Double
Inconstance,* qui n'appartient pas à cette époque au répertoire
de la Comédie-Française, est pratiquement oubliée.

Une découverte du XXe siècle

Ce n'est qu'en 1921 que la pièce sera reprise pour un spectacle
professionnel sur la scène de l'Odéon. Elle sera rejouée à Paris
à la Petite Scène en 1925, et au Théâtre-Antoine cinq ans
plus tard.

    La pièce entre au répertoire de la Comédie-Française en
1934. Madeleine Renaud y interprétait Silvia, Pierre Bertin
Arlequin et le décor choisi était inspiré du tableau de Watteau
Pèlerinage à l'île de Cythère, dit autrefois l'*Embarquement pour
Cythère.* La mise en scène qui fit connaître et apprécier la
comédie du grand public fut réalisée en 1950 au Théâtre-
Français ; elle était signée de Jacques Charron : le décor
évoquait une orangerie du XVIIIe siècle, avec des arbustes aux
feuilles argentées, sorte de nature à la française, très policée
et ordonnée. Un travail de diction particulier soulignait le ton
artificiel de la pièce, dans laquelle le ballet et la pantomime
avaient une large part. La distribution réunissait Julien Bertheau
dans le rôle du prince, Lise Delamare en Flaminia, Micheline

Boudet en Silvia et, surtout, Robert Hirsch en Arlequin. Ce dernier préféra restituer l'humanité du rôle plutôt que de tenter une maladroite reconstitution d'une commedia dell'arte de pacotille.

À cette époque, les critiques universitaires s'intéressent aussi à la pièce et de nombreux commentateurs lui donnent la place qu'elle mérite dans l'œuvre de Marivaux. Ils décèlent en particulier une certaine parenté avec *les Liaisons dangereuses,* roman épistolaire de Choderlos de Laclos (1782) où l'amour serait une sorte de jeu cynique et cruel.

Ainsi Marcel Arland parlera-t-il de *la Double Inconstance* comme de « l'histoire d'une exaction ». *La Répétition ou l'Amour puni* de Jean Anouilh (1910-1987) met en scène des comédiens qui répètent *la Double Inconstance.* Anouilh définira ainsi la pièce de Marivaux : « l'histoire élégante et gracieuse d'un crime ».

Une version filmée

En 1968, le réalisateur Marcel Bluwal met en scène une version filmée de la pièce pour la télévision. Il peut ainsi tourner en décors naturels : le palais du prince est un château entouré de marécages. L'isolement du lieu rapproche la pièce de certaines autres œuvres de Marivaux, comme *l'Île des esclaves* par exemple. L'interprétation de Bluwal tend à montrer la cruauté et la gravité présentes dans *la Double Inconstance* où « la pureté n'est qu'une forme d'ignorance » et où « l'innocence n'existe pas ». Le réalisateur affirme avoir choisi de placer *la Double Inconstance* « sous le signe d'une grande richesse et d'une grande froideur ».

Les comédiens sont Claude Brasseur et Danièle Lebrun pour Arlequin et Silvia, choisis plus âgés que leurs rôles, « afin de jouer l'enfance de telle façon qu'elle paraisse fausse au début du film ». Jean-Pierre Cassel interprète le prince et Judith Magre Flaminia ; ils sont redoutables de subtilité et d'ambiguïté.

Marivaux et la cruauté

Le théâtre des Bouffes du Nord accueille en 1976 le metteur en scène Jacques Rosner et la troupe des comédiens du jeune Théâtre national, regroupant les acteurs tout juste sortis du Conservatoire. Parmi ceux-ci, Richard Fontana joue Arlequin. Le spectacle est placé sous le signe de la cruauté sadienne, puisqu'un texte du marquis accompagne le rapt de Silvia, ce qui permet de souligner d'emblée la violence de la pièce de Marivaux. Arlequin et Silvia vont être soumis au pouvoir du prince et de sa suite. Le metteur en scène fait de ces derniers des « voyeurs, témoins permanents des expériences auxquelles on va se livrer sur [les deux personnages] ». Ces expériences sont les « manipulations [...] d'adultes qui abusent ainsi de leur pouvoir sur de très jeunes gens, pour les [...] fabriquer, en quelque sorte ». Jacques Rosner souligne le rapport entre cette idée et le thème de la manipulation d'Agnès par son tuteur dans l'*École des femmes* de Molière (1662). À la fin du spectacle, Lisette et Trivelin sont mis à mort.

En éliminant ces deux personnages avant la fin, Rosner donne peut-être un sens libertin (voir p. 174) à la pièce, ce qui l'ancre plus profondément dans la philosophie du XVIIIᵉ siècle.

Une lecture politique

En 1980, la Comédie-Française accueille une nouvelle version de la pièce, mise en scène par Jean-Luc Boutté. On peut y voir Jean-Paul Roussillon en Arlequin et Françoise Seigner en Flaminia. Tania Torrens joue Lisette, Patrice Kerbrat, Trivelin, Dominique Constanza, Silvia. Richard Fontana interprète cette fois le rôle du prince.

Le décor est géométrique, froid, animé seulement par des jeux de lumière. L'accent est mis sur la dimension politique et sociale du texte, grâce à la présentation en ouverture d'un dialogue philosophique écrit par Marivaux à la fin de sa vie : *l'Éducation d'un prince*. Dans ce texte, le précepteur Théodophile inculque des principes de vie au souverain Théodose.

Tous les personnages de cette mise en scène sont jeunes et inexpérimentés. Le prince, jeune homme encore fragile, choisit l'incognito par crainte. Seuls Flaminia et Trivelin sont des personnages mûrs et sages, parvenus au terme d'un apprentissage de la vie.

La mise en scène des ambiguïtés

Le théâtre de la Comédie de Caen reçoit en 1983 la mise en scène de Michel Dubois, qui va travailler sur « toutes les ambiguïtés » de la pièce de Marivaux. Le principe qui guida son travail est que « rien n'est lisse » dans l'œuvre de Marivaux. Le souci, dans cette lecture, n'est pas de montrer les aspects politiques du texte mais de « représenter, avant tout, les différents visages de l'amour sous la contrainte ». De l'aveu du metteur en scène, tous les personnages sont fragiles, même Flaminia. Chacun a été touché par l'amour : Trivelin a été épris de Flaminia, qui est présentée comme une ancienne favorite du prince. Celui-ci est un homme d'une quarantaine d'années, soucieux de retrouver sa jeunesse grâce à l'amour qu'il éprouve pour Silvia.

La violence domine encore dans cette version, où le plateau, comme une remise désaffectée dans un château, s'encombre de chaises à porteurs. Ainsi, le lieu est fermé mais toute intimité y est impossible, car il est aussi espace de circulation.

L'année 1988 a été riche en mises en scène de *la Double Inconstance*. Un grand spectacle, réalisé par Bernard Murat, réunissait Daniel Auteuil en Arlequin et Emmanuelle Béart dans le rôle de Silvia. Le travail dramaturgique partait des notions de naturel et de jeunesse, dans le ton léger de la comédie à « effets comiques ».

Marivaux contemporain :
l'inquiétude généralisée

À Neuilly, en 1989, une femme metteur en scène, Anne-Laure Chopin, a pris le parti de lier le bicentenaire de la Révolution de 1789 et la révolution amoureuse de *la Double Inconstance*. Dans cette lecture, ce n'est pas seulement Silvia, mais aussi Arlequin qui a été enlevé, arraché à son rêve d'harmonie et de stabilité. Ils sont alors confrontés à une traversée de l'inquiétude et à un apprentissage du souci, des intrigues et du langage.

Le décor, pris dans des jeux d'ombres, était fait de colonnes mobiles figurant l'espace politique et amoureux du pouvoir : barreaux d'une cage où Silvia est retenue, labyrinthe où s'égarent les sentiments, péristyle du palais princier...

Encore une fois, la violence constituait l'axe de lecture, mais il s'agissait là d'une forme visuelle donnée à l'angoisse de personnages jeunes, face aux incertitudes et aux oscillations de l'amour. Chaque rôle était saisi sous le double point de vue de l'amour et de l'autorité : Trivelin (Marc Moreigne) était amoureux de Flaminia (Gwenaëlle Laure), Lisette (Elsa Manon) était éprise du prince (Michel Forêt). Le choix de la violence s'exprimait donc dans cette mise en scène par l'exacerbation de la tension amoureuse et de l'inquiétude.

Marivaux et la critique

L'accueil à la création

Le premier texte critique paru à propos de *la Double Inconstance* est le compte rendu de la création au Théâtre-Italien, dans la feuille du *Nouveau Mercure,* gazette des nouveaux précieux.

Le 6 de ce mois, les comédiens-italiens ont aussi fait l'ouverture de leur théâtre par une comédie nouvelle, qui a pour titre *la Double Inconstance.*
Cette pièce n'a pas paru indigne de *la Surprise de l'amour,* comédie du même auteur [...] On a trouvé beaucoup d'esprit dans cette dernière, de même que dans la première ; ce qu'on appelle métaphysique du cœur y règne un peu trop et peut-être n'est-elle pas à la portée de tout le monde ; mais les connaisseurs y trouvent de quoi nourrir l'esprit.

Le Nouveau Mercure, avril 1723.

Commentaires du XIXe siècle

[Cette] comédie a cela de particulier que c'est du cœur même de deux amants qu'elle tire l'obstacle qui s'oppose à leur union et qu'une passion vive et sincère y cède tout naturellement la place à une autre passion non moins sincère, mais seulement plus active et relativement à chacun d'eux plus puissante. Les personnages sont choisis dans une classe commune ; les effets de la tentation n'en seront que plus comiques et les résultats plus prompts.

Pierre Duviquet, *Œuvres complètes de Marivaux,* 1825-1830.

Trivelin de *la Double Inconstance,* moitié valet de cour, moitié sorte de personnage prêt à toutes les besognes, naïvement servile et plat, a complètement perdu, dans le long usage de la cour, le sentiment de l'indépendance et de la dignité humaine. Lorsqu'il est obligé de vivre avec Arlequin, franche et droite figure de paysan, qui ne comprend rien aux conventions du monde étrange dans lequel le caprice d'un prince l'a jeté, il est stupéfait des raisonnements aussi simples qu'astucieux de son nouveau compagnon. Le bon sens grossier et campagnard lui paraît le comble de la déraison ; les plaisanteries les plus innocentes prennent pour lui la proportion d'hérésies scandaleuses : c'est la fable du loup et du chien développée en deux scènes charmantes (I, 4) et (III, 2). À force de bonhomie, Arlequin rencontre naturellement l'ironie romantique ; à force de vivre d'une vie artificielle, Trivelin a l'esprit faussé sans remède ; la convention l'a façonné à son image ; ce n'est plus un homme, c'est le produit absurde et bizarre d'une civilisation mauvaise.

G. Larroumet, Marivaux, 1894.

Le renouveau des lectures

Au XXe siècle, les textes critiques sur Marivaux sont de plus en plus nombreux et l'on s'attache particulièrement à *la Double Inconstance*.

Ce n'est pas une pièce qui compte parmi les mieux venues de Marivaux ; elle hésite entre plusieurs tendances, qu'elle ne parvient ni à fondre, ni à équilibrer. Pourtant, et par là même, c'est l'une des plus complètes, l'une des plus saisissantes. Elle témoigne d'une volonté d'élargissement ; elle s'adresse à de nouvelles sources d'intérêt. Malgré l'irréalité du décor et l'invraisemblance de la donnée, les personnages offrent des traits plus accusés ; le milieu se précise : cour chimérique, sans doute, mais non pas si vaine que l'auteur n'y puisse exercer son goût de l'observation et de la critique morale.

Marcel Arland, Marivaux, Gallimard, 1950.

Il importe d'abord de noter que cette fonction dramatique du dialogue (où le langage joue le rôle de tiers, comme dans tout entretien marivaudien) rend compte d'une particularité de l'action chez Marivaux, cette hâte trotte-menu si différente des alternances de lenteur et de précipitation que l'on observe dans d'autres comédies de l'époque. [...] Chez Marivaux, le mouvement est fractionné au point que non seulement chaque scène, mais chaque réplique est un mouvement en avant. L'action progresse, ou plutôt évolue, par une série d'associations de mots infinitésimales et en apparence fortuites. [...] Le mode obligatoire du progrès de l'action est le passage d'un mot à un mot.

Frédéric Deloffre,
Une préciosité nouvelle : Marivaux et le marivaudage,
les Belles Lettres, 1955.

En 1962, le critique Bernard Dort prolonge le travail de Frédéric Deloffre dans un article intitulé « Esquisse d'un système marivaudien ».

La « métaphysique du cœur » que tous ses contemporains ont cru trouver chez Marivaux, n'est ainsi qu'une physique du langage : la description des mouvements et des actions réciproques des mots et des sentiments. Les maîtres n'ont pas le choix entre la langue du cœur et celle de leur classe sociale. C'est à travers les conventions de leur langage qu'ils doivent reconquérir la possibilité de s'exprimer pleinement. Ainsi, leur jeu, plus encore qu'une comédie de masques et d'intrigues, est mis à l'épreuve des mots. Auparavant, ils étaient portés par ces mots, maintenant, ils tentent de les reprendre en charge, progressivement. [...]

Nulle révolte donc, pas même une exigence de réforme, chez Marivaux. Mais une volonté de comprendre comment dans un ordre donné les hommes peuvent s'accomplir. Aussi les personnages marivaudiens ne s'affrontent-ils jamais dans un grand combat singulier où ils mettraient en jeu leur destin et celui de la société qu'ils représentent ; ils se frôlent, ils s'interrogent, leur débat est lent et sourd, il progresse à pas comptés : il est lutte avec soi plutôt que combat avec l'autre. Car il n'y a pas ici de dehors et de dedans, pas d'opposition entre l'intériorité des personnages et l'extériorité des lois sociales. C'est en lui-même que le héros marivaudien retrouve les impératifs sociaux. Aussi ses armes sont-elles bien incertaines : le discours, au sens classique du terme, lui est refusé, et, loin d'avoir à son service un langage acéré et efficace, il est obligé de maîtriser jusqu'au langage.

Bernard Dort, « Esquisse d'un système marivaudien »,
Théâtres, le Seuil, coll. « Points », 1986.

Le comédien et metteur en scène Louis Jouvet retranscrit dans *Molière et la comédie classique* ses séances de travail avec de jeunes comédiens. Ses commentaires sur *la Double Inconstance* sont ceux d'un praticien qui connaît le texte théâtral de l'intérieur, de manière très concrète.

C'est un cristal, Marivaux, c'est dur, ça a des arêtes et des côtes, c'est coupant. De cette dureté, quelque chose sort ; mais si c'est pour en faire sortir ton sentiment personnel, ce n'est pas intéressant. Tu fais du Musset, en ce moment, et encore ! En tout cas, du théâtre sentimental. Il faut que ce soit logique et clair, clair.

Il faut enlever le sentiment personnel que tu mets là-dedans. Reste dans le débat, dans la réplique, alors, c'est ravissant. [...] Tu mets dans ton jeu ce que tu mets dans tes répliques ; ce n'est pas vrai. Tu n'écoutes pas. Tu ne sais pas le texte, tu ne sais pas ce texte, puisque tu ne sais pas la réplique de l'autre, tu ne sais pas ce qu'il te dit. Savoir un texte comme celui-là est très difficile. Tu ne l'as pas appris dans le sens où il faut l'apprendre, c'est-à-dire dans la logique où il est écrit. Quand on donne une réplique de ce texte, n'importe laquelle, il faut que ça suive. Or, tu ne le sais pas. Ce sont des répliques qui s'ajustent, c'est précis, c'est un jeu de fleurets.

Louis Jouvet, *Molière et la comédie classique,* Gallimard,
coll. « Pratique du théâtre », 1965.

Michel Deguy, poète et critique contemporain, fait paraître en 1981 un texte riche en suggestions et en analyses. Il présente une lecture moderne et passionnante de Marivaux, notamment à propos des personnages.

Ils font tous la même chose (en langage d'aujourd'hui « ils ne pensent tous qu'à ça ») l'amour. C'est la condition fondamentale, ce qui les réunit, là, hommes, au même titre. C'est donc le trait de nature. Qu'ils soient maîtres ou serviteurs, grands ou bourgeois, princes, confidents, naïfs ou rusés, valets, paysans... c'est le principe d'égalité ; l'intérêt commun, la connivence qui fonde leur reconnaissance mutuelle, leur tendresse réciproque. C'est là où ils en sont que les saisit Marivaux. Nulle différence extrême d'occupations, d'idées, de mémoire ; pas d'hétérogénéité telle que leur présence ensemble à un même monde soit compromise, déchirée par la question du monde et du même, l'un soucieux d'armes, l'autre de philosophie, celui-ci de Dieu, celui-là de voyage... Ils sont ensemble au service de ce qui les identifie : l'amour. [...]

Le « marivaudage » est la concession réciproque que se négocient la sphère du désir, qui exige inconstance, méprise, stratagème, et la sphère de l'ordre social, de la conservation de l'institué, de la loi. Le marivaudage, avec ses dénégations, ses équivoques, ses aveux indiscrets, reconnaît qu'il doit y avoir transaction entre les deux, traduction, pour aboutir au moment public de la gaieté partagée, du oui qu'ils se consentent, dans la surface de fête, de rire, de comédie.

Michel Deguy, *la Machine matrimoniale ou Marivaux,*
Gallimard, 1981.

Avant ou après la lecture

Pratique théâtrale

1. Constituer un dossier comportant descriptif, schémas et croquis, arguments et motivations pour un projet de décor dans le but d'une éventuelle représentation de la pièce. La rubrique « Mises en scène de *la Double Inconstance* » propose différentes versions du palais du prince : en proposer une autre.

2. Mise en scène personnelle de la pièce : quels seraient les costumes choisis ? Vêtements d'époque, dans l'esprit d'une fidèle « reconstitution historique » ? costumes dans l'esprit du XVIII\e siècle artificiel ? ou bien costumes contemporains ? Il faudra aussi réfléchir à la tenue des personnages de la commedia dell'arte, en particulier à celle d'Arlequin (gardera-t-il son habit multicolore ?).
Proposer éventuellement des croquis faits avec l'aide du professeur d'arts plastiques.

3. Imaginer la mise en scène d'une ou plusieurs scènes de la pièce, en définissant clairement la fonction et l'interprétation voulue pour chaque personnage.

Dissertations et sujets de réflexion

1. *La Double Inconstance* est-elle une pièce à couleur comique ou bien une tragédie de l'amour ? Défendre l'argumentation à partir d'éléments précis tirés du texte.

2. Commenter cette affirmation du critique Michel Deguy (voir p. 167-168) : « L'amour est surprise, naissance d'Aphrodite. Il veut ce qui le tue : le "toujours". »

3. Montrer à partir d'une étude précise du texte de la pièce que chez Marivaux, comme l'affirme Michel Deguy, « la comédie est l'éducation réussie du désir poli par l'amour ».

4. Jean Giraudoux, dramaturge et écrivain (1882-1944), affirmait qu'« il n'y a pas d'ingénues chez Marivaux ». La lecture du personnage de Silvia lui donne-t-elle raison ? Justifier la réponse par des références au texte et des analyses précises.

Travaux de recherche

1. Présenter, à partir d'un relevé détaillé, ce qui caractérise le langage paysan d'Arlequin et de Silvia.

2. Relever et classer les proverbes prononcés par Arlequin au cours de la pièce. Élucider leur signification.

Bibliographie, discographie, filmographie

Éditions de référence

Marivaux, *Théâtre complet,* préface et annotations de Marcel Arland, Gallimard, coll. « la Pléiade », 1964.

Marivaux, *Théâtre complet,* in *Théâtre du XVIIIe siècle,* 4 tomes, édition annotée par Bernard Dort, Club français du livre, 1961. *La Double Inconstance* se trouve dans le tome I.

Marivaux, *Théâtre complet,* 2 volumes, nouvelle édition de Frédéric Deloffre et de Françoise Rubelin, Bordas, coll. « Classiques Garnier », 1989. *La Double Inconstance* figure dans le tome I.

Le théâtre du XVIIIe siècle

Pierre Larthomas, *le Théâtre en France au XVIIIe siècle,* P.U.F., coll. « Que sais-je ? », 1980.

Le Théâtre en France, ouvrage collectif sous la direction de Jacqueline de Jomaron, Armand Colin, 1988.

Ouvrages théoriques sur le théâtre

Anne Ubersfeld, *Lire le théâtre,* Éditions sociales, 1977.

Anne Ubersfeld, *l'École du spectateur,* Éditions sociales, 1981.

Le théâtre de Marivaux

Marcel Arland, *Marivaux,* Gallimard, N.R.F., 1950.

Henri Coulet et Michel Gilot, *Marivaux. Un humanisme expérimental,* Larousse, coll. « Thèmes et textes », 1973.

Michel Deguy, *la Machine matrimoniale ou Marivaux,* Gallimard, 1981, rééd. 1986, coll. « Tel ».

Frédéric Deloffre, *Une préciosité nouvelle : Marivaux et le marivaudage,* les Belles Lettres, 1955.

Maurice Descotes, *les Grands Rôles du théâtre de Marivaux,* P.U.F., 1972.

Jacques Scherer, « Marivaux et Pirandello », in *Cahiers Renaud-Barrault,* n° 28, janvier 1960.

Discographie
La Double Inconstance, mise en scène de Jean-Luc Boutté, Comédie-Française, 1980. Cassettes Radio France.

Filmographie
La Double Inconstance, téléfilm de Marcel Bluwal, S.F.P., 1968.

Petit dictionnaire pour commenter *la Double Inconstance*

antagoniste *(adj.)* : désigne des personnes, des propositions, des principes, etc., qui s'opposent.

burlesque *(adj. ou n. m.)* : 1. d'un comique extravagant. 2. genre littéraire où l'auteur parodie une œuvre sérieuse en montrant des héros embourgeoisés et pris dans des situations très quotidiennes, non héroïques.

dénouement *(n. m.)* : partie finale d'une pièce de théâtre où le conflit initial s'apaise en trouvant sa solution.

didascalie *(n. f.)* : indication de mise en scène donnée au cours du texte par l'auteur afin de faciliter une lecture qui permette d'imaginer une représentation de la pièce. La liste initiale des personnages fait partie de ces indications.

dramaturgie *(n. f.)* : technique propre à l'auteur de théâtre.

drame bourgeois : genre théâtral du XVIIIᵉ siècle où s'illustrèrent Voltaire et surtout Diderot. C'est une pièce intermédiaire entre la tragédie et la comédie, faisant appel à une sensibilité larmoyante.

équivoque *(adj.)* : se dit d'un mot ou d'un propos qui peuvent être interprétés dans des sens différents.

exposition *(n. f.)* : partie de la pièce de théâtre (en général les scènes initiales) où les faits nécessaires à la compréhension de la situation de départ sont clairement indiqués.

genre littéraire : catégorie d'œuvres présentant des caractéristiques communes, de sujet, de ton, de style. Par exemple, le roman, la nouvelle, la comédie, la tragédie, etc.

honnête homme : concept datant du XVIIe siècle, encore en cours au XVIIIe, qui désigne un homme de bonne compagnie, aux manières et à l'esprit distingués, ayant le sens de la mesure en toutes choses. L'« honnêteté » est à cette époque un idéal social.

intrigue *(n. f.)* : succession de faits, d'actions qui font la trame d'une œuvre, laissant le spectateur dans l'attente du dénouement auquel ils conduiront.

libertin *(adj. ou n. m.)* : 1. qui ne suit pas les lois de l'Église, de la religion, ou les met en cause. 2. qui est déréglé dans sa conduite, dans ses mœurs. L'esprit libertin est incarné dans ces deux sens, au XVIIIe siècle, par Sade.

monologue *(n. m.)* : discours d'un personnage qui parle tout seul sur le plateau (la scène).

néologisme *(n. m.)* : emploi d'un mot nouveau dans la langue, ou emploi d'un mot existant dans un sens nouveau ; création langagière d'un auteur.

parodie *(n. f.)* : imitation comique et moqueuse d'une œuvre sérieuse ou d'un personnage.

pastorale *(n. f.)* : ouvrage littéraire où sont décrites les amours de bergers et de bergères sur un ton raffiné et conventionnel. Ex. : *l'Astrée* d'Honoré d'Urfé (1607-1628).

préciosité *(n. f.)* : mouvement d'idées et mouvement littéraire du milieu du XVIIe siècle qui prônait la recherche du raffinement dans le sentiment et dans le langage. Ses adeptes sont appelés les « précieux » (voir *les Précieuses ridicules* de Molière). Ce mouvement connaît un renouveau au XVIIIe siècle (on parle alors de « nouvelle préciosité »).

protagoniste *(n. m.)* : chacun des personnages principaux de la pièce.

satire *(n. f.)* : 1. au sens propre, texte littéraire ou discours qui critique certains défauts, vices ou ridicules. 2. au sens large, moquerie vigoureuse.

scène *(n. f.)* : 1. subdivision de l'acte, déterminée par l'entrée ou la sortie d'un personnage. 2. endroit où jouent les acteurs ; synonyme : plateau.

scène de reconnaissance : scène codée, fréquente dans la comédie latine antique, puis utilisée notamment par Molière. Ce peut être une scène où un personnage riche reconnaît dans une jeune servante ou une jeune fille pauvre son enfant disparue depuis des années, après un enlèvement. Située à la fin des comédies, elle permet souvent les mariages entre jeunes gens car ils se sont révélés appartenir à la même classe sociale.

type *(n. m.)* : ce mot désigne un personnage caractérisé par des traits psychologiques, physiques, ou autres, qui sont constants dans toutes les œuvres où il apparaît.

Collection fondée par Félix Guirand en 1933, poursuivie par Léon Lejealle de 1945 à 1968 puis par Jacques Demougin jusqu'en 1987.

Nouvelle édition
Conception éditoriale : Noëlle Degoud.
Conception graphique : François Weil.
Coordination éditoriale : Emmanuelle Fillion,
Marie-Jeanne Miniscloux et Marianne Briault.
Collaboration rédactionnelle : Catherine Le Bihan.
Coordination de fabrication : Marlène Delbeken.
Documentation iconographique : Nicole Laguigné.
Schéma p. 13 : Thierry Chauchat.

COMPOSITION : SCP BORDEAUX.
IMPRIMERIE HÉRISSEY - 27000 - ÉVREUX - N° 63726.
Dépôt légal : mai 1991. N° de série Éditeur : 17766.
IMPRIMÉ EN FRANCE *(Printed in France)* 871 262 M- Janvier 1994.